LA RESTAURACIÓN

del

Sacerdocio

UN LLAMADO
A LA SANTIDAD

GUILLERMO MALDONADO

Nuestra Misión
Llamados a traer el poder sobrenatural de Dios a esta generación.

La Restauración del Sacerdocio
Guillermo Maldonado

Primera Edición: Junio 2018

ISBN: 978-1-59272-777-3

Todos los derechos están reservados por el
Ministerio Internacional El Rey Jesús / ERJ Publicaciones

Esta publicación no puede ser reproducida, alterada parcial o totalmente, archivada en un sistema electrónico ni transmitida bajo ninguna forma electrónica, mecánica, fotográfica, grabada o de alguna otra manera, sin el permiso previo, por escrito del autor. A menos que se indique lo contrario, todas las citas bíblicas han sido tomadas de la versión Santa Biblia, Reina-Valera 1960, © 1960 Sociedades Bíblicas en América Latina; © renovado 1988 Sociedades Bíblicas Unidas. Usadas con permiso. Las citas bíblicas marcadas (NVI) han sido tomadas de la Santa Biblia, Nueva Versión Internacional, NVI®, © 1999 por la Sociedad Bíblica Internacional. Usadas con permiso. Las citas bíblicas marcadas (RVA-2015) han sido tomadas de la Version Reina Valera Actualizada, Copyright © 2015 by Editorial Mundo Hispano. Usadas con permiso.

Director del Proyecto: Andrés Brizuela
Editores: Jose M Anhuaman - Gloria Zura
Traducción: Jessica L. Galarreta - Adriana Mangual
Diseño de Portada: Juan Salgado

Categoría: Crecimiento Espiritual

Ministerio Internacional El Rey Jesús
14100 SW 144 Ave. Miami, FL 33186
Tel: 305.382.3171 - Fax: 305.382.3178
Impreso en los Estados Unidos de América

Índice

Introducción

EL SEÑOR ME ha dado el privilegio de escribir muchos libros, y cada uno de ellos nace de mi íntima relación con Dios. Es en medio de la oración que Su Espíritu me da revelación y discernimiento de los tiempos que vivimos y de lo que Jesús espera de Su Iglesia. Hace un tiempo, Él me mostró el dolor de Su corazón por el deterioro del sacerdocio en los hogares y en la iglesia. Me mostró también las consecuencias de estar falto de un sacerdocio santo en el mundo de hoy. El Señor me dijo, "¡El sacerdocio está dormido y debe despertar!"

Una característica terrible de esta generación es que ha abandonado el sacerdocio, ha abdicado su autoridad y los estándares de santidad y pureza los ha perdido por completo. Los hombres crecen ignorando sus responsabilidades como sacerdotes. Las mujeres han tenido que asumir cargas que resultan demasiado pesadas para ellas; y eso las está desgastando, dando lugar a que el enemigo gane terreno en los hogares y en la iglesia, produciendo un impacto negativo en la sociedad.

El anhelo del corazón de Dios es que el sacerdocio, al igual que la oración, sean restaurados a todo nivel, en preparación para la segunda venida de Cristo. Esta generación de sacerdotes necesita salir del letargo donde está sumida. Requiere permanecer velando y orando para discernir los tiempos que vivimos y oír la voz de Dios. Este real sacerdocio debe asumir su responsabilidad a todo nivel, para convertirse en la voz profética de Dios, cumplir Su voluntad en la tierra, restaurar los altares caídos, ministrar adoración al único Dios verdadero, y ser luz en medio de las tinieblas.

Hoy, Dios está levantando un remanente de hijos e hijas que no se han dejado contaminar por el sistema del mundo, que viven en santidad, apartados y separados para Su uso exclusivo. Ese remanente ha asumido responsabilidades sacerdotales y preparan el camino para la segunda venida del Gran Rey, Jesucristo, el Hijo de Dios.

Usted forma parte de ese remanente. ¡Despierte y tome su lugar! Solo así la bendición de Dios vendrá sobre su casa, el crecimiento llegará a su ministerio, y la gloria de Dios cubrirá toda la tierra.

1 | El Sacerdocio en Crisis

Dios es Soberano sobre el cielo y la tierra, tanto en el ámbito espiritual como en el ámbito físico. Su plan siempre fue que los seres humanos seamos reyes y sacerdotes en Su reino, bajo Su gobierno. Dios creó al primer hombre y la primera mujer, Adán y Eva, a Su imagen y semejanza. Luego les dio dominio sobre toda la tierra, convirtiéndolos en reyes y sacerdotes de la creación. (Vea Génesis 1:26-28.) Debido al orden de la creación, Dios designó al hombre como cabeza de la familia, para servir como "sumo sacerdote". (Vea Efesios 5:22-24; 1 Corintios 11:7-12).

Después de la caída de la humanidad, Dios estableció un plan para redimirla. Como parte de ese plan, escogió a la nación de Israel para representar Su reino en la tierra, diciendo: *"Y vosotros me seréis un reino de sacerdotes, y gente santa"* (Éxodo 19:6). Por eso, Cristo vino a la tierra como el Mesías y murió en la cruz para reconciliar a la humanidad con Dios. Desde entonces, todos los que en Él creen como Señor y Salvador, forman parte del cuerpo de Cristo, la iglesia, cuyo propósito es cumplir el plan eterno de Dios ejerciendo autoridad como Sus reyes y sacerdotes en la tierra:

Mas vosotros sois linaje escogido, real sacerdocio, nación santa, pueblo adquirido por Dios, para que anunciéis las virtudes de aquel que os llamó de las tinieblas a su luz admirable. (1 Pedro 2:9)

Al que nos amó…y nos hizo reyes y sacerdotes para Dios, su Padre; a él sea gloria e imperio por los siglos de los siglos. (Apocalipsis 1:5-6)

[Tú] nos has hecho para nuestro Dios reyes y sacerdotes, y reina-
remos sobre la tierra. (APOCALIPSIS 5:10)

Antes de empezar a estudiar cómo el sacerdocio cayó en un estado de crisis, lo cual será el tópico principal de este capítulo, estudiemos qué es el sacerdocio desde un punto de vista bíblico.

¿Quién es un sacerdote?

La intención original de Dios siempre fue empoderar a Su pueblo para que, por medio de la alabanza y la adoración, desarrolle una relación íntima con Él; ya que ésta es clave en la función sacerdotal. *"Porque todo sumo sacerdote tomado de entre los hombres es constitui-do a favor de los hombres en lo que a Dios se refiere, para que presente ofrendas y sacrificios por los pecados"* (Hebreos 5:1). Por eso, tanto en el Antiguo como el Nuevo Testamento la figura del sacerdote aparece descrita como uno que ofrece sacrificios espirituales a Dios.

Con frecuencia la gente malentiende lo que significa ser un verda-dero sacerdote espiritual en Cristo. Para ello no se requiere usar una sotana o abstenerse del matrimonio, como algunas religiones tradicionales practican. Jesús es el modelo del sacerdote del Nuevo Testamento. Él vistió conforme a la costumbre de Su época, caminó con la gente, vio sus necesidades, compartió sus alegrías, lloró sus pérdidas, se gozó en sus fiestas, oró e intercedió por ellos y se ofreció a Sí mismo en favor de ellos. De esa manera se convirtió tanto en el sacerdote que ministraba el sacrificio, como en el sacrificio mismo. Él es el Cordero sin mancha que borra el pecado del mundo (vea, por ejemplo, Hebreos 9:14; 1 Pedro 1:19).

El sacerdocio entra en crisis

Para nadie es un secreto que el sacerdocio espiritual está hoy en cri-sis, tal como lo ha estado muchas veces a lo largo de la historia. Sin embargo, a fin de entender la razón, necesitamos regresar a Edén, el lugar donde comenzó la crisis del sacerdocio. Si bien, Adán y Eva tenían autoridad dada por Dios para gobernar sobre la creación, la primacía de la autoridad recayó sobre el varón. Dios le dio a Adán un reino, incluso antes de hacer pacto con él. No obstante, cuando Adán desobedeció a Dios y se puso de acuerdo con Eva para aceptar la sugerencia de Satanás, y comer el fruto del árbol del conocimiento del bien y del mal, se rebeló contra su Creador, y automáticamente abdicó su autoridad. En ese instante, el sacerdocio cayó en crisis, y hasta hoy siguen arrastrándose las consecuencias de esa desobediencia.

Pero no siempre ha sido así. La iglesia primitiva supo sacudirse de esa secuela de rebeldía. Por ejemplo, los discípulos de Jesús, siguiendo el modelo de su Maestro, cumplieron muy bien la función sacerdotal. De la misma forma, escogieron buenos sacerdotes para enviarlos a otras ciudades, a que ejercieran un sacerdocio santo. La Escritura refiere que ninguno estaba allí "para ser servido", sino para ministrar a Dios y servir al pueblo. Sin embargo, en los tiempos modernos la iglesia ha perdido el enfoque en la función sacerdotal, se ha acomodado a la conveniencia de la gente y se ha desviado, a tal punto, que ya no cumple sus responsabilidades.

Una de las secuelas directas de la crisis sacerdotal es el colapso y la corrupción moral de la sociedad. Por esa razón, es común oír a la gente decir, "Si los sacerdotes, pastores, maestros, profetas, apóstoles, evangelistas y líderes cristianos pueden mentir, robar, adulterar, fornicar, divorciarse, juzgar, criticar y airarse; entonces nosotros también podemos hacerlo". La gente ve en la crisis del sacerdocio una licencia para bajar sus propios estándares morales. Cuando la iglesia debilita su posición o no es firme para actuar ante la inmoralidad y la injusticia, deja de marcar la diferencia en una sociedad que espera caminar bajo su liderazgo.

El sacerdocio es la brújula moral de la sociedad, y el único que legitima a la iglesia.

Una generación sin un sacerdocio íntegro vive en la anarquía. De hecho, el mal y la corrupción solo serán erradicados de un hogar, una ciudad, nación o iglesia que tenga un sacerdocio honesto, que se pare firme, que presente sus cuerpos como sacrificio vivo, que ofrezca alabanza y adoración, que haga el bien a los demás y presente ofrendas a Dios. Cuando la decadencia moral alcanza al sacerdocio, eso afecta todos los niveles de la sociedad. La iglesia jamás será legitimada por su carisma, oratoria, educación, prédicas o enseñanzas poderosas; pero sí lo será por la fidelidad de su sacerdocio para oír lo que Dios está hablando para este tiempo, y para actuar en consecuencia, con denuedo y moralidad.

En la actualidad, la mayoría de hombres no ejercen el sacerdocio que Dios les asignó. La razón por la que ahora el ministerio de intercesión está repleto de mujeres, es porque los hombres han abandonado su función sacerdotal, y ahora esos ministerios son calificados como femeninos. Lo cierto es que, ante la deserción del hombre –es decir, desde que el hombre abdicó su autoridad en Edén–, las mujeres han tenido que asumir funciones que no les competen. Como resultado, vemos mujeres abrumadas, cansadas y quemadas, porque están llevando cargas que no concuerdan con el diseño de Dios para ellas.

El problema en la sociedad de hoy es que los hombres quieren ser reyes en la casa sin ser sacerdotes; quieren gobernar, pero no servir; mucho menos que les hablen de buscar a Dios. Pero en el reino de Dios las cosas no funcionan así. Es verdad que los hombres hemos sido llamados a ser reyes y sacerdotes. Sin embargo, un rey es quien marcha primero a la guerra, quien guía al ejército en las batallas; y un sacerdote es quien presenta ofrendas y sacrificios a Dios. En el sacerdocio de Melquisedec y en el de los levitas, vemos un patrón: todos los que ejercían el sacerdocio eran hombres; no mujeres. Y no me malentienda; una mujer puede cumplir funciones sacerdotales, pero quien está llamado a ser el sumo sacerdote en la casa es el hombre.

En la Biblia, al hombre siempre le ha correspondido el sacerdocio.

Causas de la crisis del sacerdocio

Podemos identificar muchas causas; sin embargo, cuatro son las principales razones por las que el sacerdocio está en crisis:

■ La corrupción del carácter

A lo largo de la Escritura leemos que las represiones más fuertes de Dios siempre fueron contra los falsos profetas y los sacerdotes corruptos. *"Porque los labios del sacerdote han de guardar la sabiduría, y de su boca el pueblo buscará la ley; porque mensajero es de Jehová de los ejércitos. Mas vosotros os habéis apartado del camino; habéis hecho tropezar a muchos en la ley; habéis corrompido el pacto de Leví, dice Jehová de los ejércitos"* (Malaquías 2:7-8).

En el tiempo de Malaquías el sacerdocio se había corrompido de tal manera que, en lugar de mostrarle al pueblo el camino del Señor, lo hacían tropezar. Y es que un sacerdocio corrupto corrompe una familia, una iglesia, una nación; el pueblo le pierde respeto y Dios dice: *"Por tanto, yo también os he hecho viles y bajos ante todo el pueblo, así como vosotros no habéis guardado mis caminos, y en la ley hacéis acepción de personas"* (Malaquías 2:9).

Un hombre que no ejerce el sacerdocio en su familia carece de autoridad moral para guiar a sus hijos en los principios y valores bíblicos. Una nación sin sacerdocio no puede vivir bajo estándares de justicia y moralidad. Si el sacerdocio viola las leyes de la nación, el país está en problemas y bajo maldición. *"Y será el pueblo como el sacerdote; le castigaré por su conducta, y le pagaré conforme a sus obras"* (Oseas 4:9). Quiere decir que, cuando el sacerdocio cae, el pueblo recibe el castigo de la corrupción, la iglesia pierde autoridad y deja de ser luz.

***Ninguna sociedad se desmorona si antes
no se ha desmoronado su sacerdocio.***

Los estándares de moralidad han sido degradados por el sacerdocio mismo, y la sociedad se ha acostumbrado a vivir así. El sacerdocio es enteramente cuestionable; sus obras son tan corruptas como las de cualquiera. La diferencia es ínfima entre lo justo y lo injusto, entre lo puro y lo impuro, entre lo bueno y lo malo. Los llamados a ejercer el sacerdocio, mienten, se emborrachan y cometen fraude, igual que los demás. Algunos nos hablan y no hay razón para creerles, porque tienen la intención de no cumplir; hacen promesas que pronto olvidan; no honran su palabra ni siquiera en un documento legal. Por eso, en la sociedad moderna, al igual que en la iglesia de este tiempo, la gente dice una cosa y hace otra, si acaso hace algo.

Cuando la justicia y la rectitud faltan en el sacerdocio, la integridad pierde sentido en la sociedad.

Un claro ejemplo de corrupción sacerdotal son los hijos de Elí, quienes *"...eran hombres impíos, y no tenían conocimiento de Jehová... Era, pues, muy grande delante de Jehová el pecado de los jóvenes; porque los hombres menospreciaban las ofrendas de Jehová... Pero Elí era muy viejo; y oía de todo lo que sus hijos hacían con todo Israel, y cómo dormían con las mujeres que velaban a la puerta del tabernáculo de reunión"* (1 Samuel 2:12, 17, 22). Esos sacerdotes pecaban y hacían pecar al pueblo.

Muchos de los sacerdotes de hoy no son muy diferentes. Predican mensajes que justifican el estilo de vida licencioso de la gente, porque ellos mismos viven en impiedad y sin temor de Dios. Niegan o distorsionan la verdad en nombre del mensaje de la súper gracia, que establece que, si somos salvos por gracia, podemos vivir como queramos. Esto ha hecho que la gente se amolde al pecado, en lugar de dejarse transformar por Dios hasta reflejar el carácter de Cristo. Cuando alguien se siente cómodo con su pecado, no cambia. Asimismo, un sacerdote no puede pedirle al pueblo que sea justo, si su vida personal no es ejemplo de rectitud y moralidad.

Ningún sacerdote tiene autoridad moral para reprender lo mismo que practica.

Si nos unimos a lo que no proviene de Dios, no podremos reprenderlo. Jesús les dijo a los escribas: *"¿Cómo puede Satanás echar fuera a Satanás?"* (Marcos 3:23). Tristemente, el sacerdocio se ha apartado de la rectitud y la santidad de Dios; por eso no puede denunciar el pecado, porque forma parte del mismo. De ahí que, cada vez que la iglesia intenta levantar su voz en la sociedad, no es oída ni respetada, porque la corrupción grita tan fuerte que no deja oír lo que tiene que decir. Es verdad que todavía hay cosas con las que todos luchamos, porque seguimos creciendo en el Señor y cometemos errores. No obstante, esto difiere de llevar abiertamente una vida de pecado e iniquidad.

La verdad y la justicia deben ser nuestro estándar de vida.

¿Cómo le podemos decir a alguien que no mienta, que no cometa injusticias o no robe, si quienes deben dar el ejemplo mienten, roban y son injustos? En ese momento se pierde la autoridad moral. Cuando alguien dice una mentira, debe seguir mintiendo para protegerse; pero la verdad sigue siendo una y no puede ser torcida. No existe tal cosa como una verdad a medias, o una segunda versión de la verdad.

Dice la Biblia: *"Y el derecho se retiró, y la justicia se puso lejos; porque la verdad tropezó en la plaza, y la equidad no pudo venir"* (Isaías 59:14). ¿La verdad tropezó en la plaza? ¿La equidad no pudo venir? ¿Qué nos quiere decir el Señor? Aquí Dios nos enseña la decadencia de la moralidad. El común de la gente dice que nada está mal y que todo es válido, "mientras los haga felices". ¡Eso es comprometer la verdad para sentirse bien! Si lo permitimos, perderemos la autoridad dada por Dios. Si el sacerdote no es capaz de marcar la diferencia en la sociedad donde vive, tampoco está apto para representar al pueblo ante Dios, ni puede ir contra el enemigo para defender a su familia o para arrebatarle los territorios que éste le ha robado. Por ejemplo, las finanzas, la vida de sus hijos, su ministerio, etcétera.

Cada vez que Israel fue a la guerra sin la guía de su sacerdocio, perdió las batallas.

Nuestra generación está viendo el incremento de la inmoralidad en los sacerdotes de la iglesia católica y otras denominaciones, lo cual se evidencia en el abuso sexual de niños, violación de mujeres, relaciones homosexuales o adúlteras, entre otras aún no admitidas. Claro que también hay corrupción moral en la iglesia cristiana protestante. Por ejemplo, escándalos de fraude, adulterio, divorcios, mal uso de los diezmos y abuso de autoridad. Todo esto ha conducido a que la sociedad margine a la iglesia; porque el sacerdocio ha encubierto el pecado, en lugar de reconocerlo, arrepentirse y dejar que Dios los transforme.

El sacerdocio se ha corrompido a tal nivel, que hay denominaciones que ordenan hombres y mujeres homosexuales al ministerio, o casan parejas del mismo sexo, desoyendo el mandato de Dios (vea, por ejemplo, Levítico 18:22). Incluso permiten subir a los altares, líderes de alabanza abiertamente homosexuales; y no tengo nada contra esas personas, porque entiendo que Dios ama al pecador, pero aborrece el pecado. Por todas estas cosas, la iglesia ha perdido autoridad para mostrarle a la sociedad cómo vivir una vida recta. Antes, si un político lograba el respaldo de un pastor, la gente entendía que ese hombre era justo y respetable; hoy, ya no les importa escuchar la voz de la iglesia.

■ El abandono del sacerdocio

La cultura occidental ha impuesto la idea de que los asuntos espirituales o de Dios son "cosas de mujeres". De ahí que, quien ora en casa es la mujer; quien va a la iglesia y educa a los hijos en el temor de Dios es la mujer; quien ayuna, ofrenda y ofrece sacrificios al Señor es la mujer. Dios les entregó el sacerdocio a los varones; pero, al igual que Adán, el hombre ha abandonado su llamamiento santo. Por eso, las mujeres han tenido que asumir responsabilidades sacerdotales en el hogar; una tarea para la cual Dios no las comisionó.

Además, los divorcios cada vez dejan más familias sin sacerdotes; y los hombres que permanecen casados acostumbran trabajar duro, todo el día, y llegar a casa solo a sentarse frente al televisor. Consideran que su única obligación es ser proveedores; por eso tienen un trabajo a tiempo completo y varios trabajos de tiempo parcial, para cubrir las necesidades de la casa. A ellos, el diablo se encarga de mantenerlos trabajando mucho y ganando poco, para que la necesidad no les permita asumir su función sacerdotal. Mientras tanto, la tarea de guiar a los hijos ha recaído en la mujer. De ahí que los hijos únicamente tienen un referente femenino, y solo reciben de papá, abandono, malos ejemplos y falta de amor.

■ El matriarcado y el machismo

Cuando Dios tuvo que desalojar a Adán y Eva de Edén, a causa de su pecado, les explicó las consecuencias que eso traería. *"A la mujer dijo: …y tu deseo será para tu marido, y él se enseñoreará de ti"* (Génesis 3:16). Por eso, desde siempre, el enemigo ha atacado el sacerdocio del hombre con un espíritu de machismo, pero también con un espíritu de matriarcado. El machismo es una distorsión del sacerdocio, por el cual el hombre, en lugar de ejercer autoridad a través del amor, servicio y ejemplo, subyuga y hiere a toda su familia. Los hijos le temen, pero no lo respetan. La esposa le obedece, pero es maltratada, como si fuera inferior a él.

Como contrincante del machismo, se levanta el espíritu matriarcal. Debido a que el hombre abdicó su autoridad en Edén, la mujer ha tomado el lugar que le correspondía al hombre como autoridad espiritual y cabeza de familia. Sin embargo, es importante recalcar que, aunque todos somos sacerdotes, no todos somos cabeza sacerdotal. Si bien todos tenemos autoridad espiritual, no todos tenemos la misma autoridad; y aunque los ministerios no son dados conforme a género, al hombre le ha sido asignado el ejercicio del sacerdocio en la familia.

■ La ignorancia

Como consecuencia de los puntos anteriores vemos que hay una generación que no sabe qué es el sacerdocio. Nunca vieron esa figura en el hogar ni en sus iglesias. La ignorancia es un arma que el enemigo usa para alejar a la gente de la verdad. Hoy, el sacerdocio es un tema que ha quedado en el abandono; no se enseña en seminarios, institutos bíblicos ni discipulados. Por lo mismo, aunque el hombre quiere asumir su rol sacerdotal, no sabe cómo hacerlo, y sufre las consecuencias de desobedecer a Dios, "*...aun sin hacerlo a sabiendas...*" (Levítico 5:17).

Clases de ignorancia

Hay dos tipos de ignorancia en el ser humano: La ignorancia involuntaria y la ignorancia voluntaria.

• *La ignorancia involuntaria*

Nadie elige este tipo de ignorancia, sino que inevitablemente viene como consecuencia de no haber sido expuestos a la verdad. Hoy, la sociedad se preocupa más porque los niños se preparen para competir en el mercado laboral, que por enseñarles principios morales y educarlos para ejercer el sacerdocio establecido por Dios. La mayoría de iglesias no enseñan a los cristianos sus deberes sacerdotales, ni los instruyen para ser buenos hijos, esposos y padres. Sin embargo, Dios está levantando una nueva generación, y está restaurando a los hombres a sus funciones sacerdotales, tanto en la familia, como en la iglesia y el gobierno.

La Biblia nos muestra la historia del rey Josías, quien a los ocho años comenzó a reinar sobre Judá, y una de sus más grandes obras fue restaurar el sacerdocio de Israel. Las reformas que emprendió durante su reinado aparecen en el segundo libro de Crónicas. Su predecesor, el rey Amón, padre de Josías, había corrompido al pueblo levantando altares en honor a dioses paganos, pero cuando Josías subió al trono, comenzó a eliminar todos esos altares, destruyó las estatuas y sacó a los sacerdotes falsos del templo, a fin de restituir el verdadero sacerdocio de Jehová.

¿Qué produjo este cambio tan radical? Mientras reconstruía el templo, el rey encontró el libro de la ley, de cuya existencia no tenía conocimiento, y comenzó a leerlo. Entonces, Dios le trajo convicción de pecado, y Josías fue rápido para arrepentirse. Acto seguido, el rey mandó que todo el pueblo obedeciera la ley del Señor. *"Y subió el rey a la casa de Jehová, y con él todos los varones de Judá, y los moradores de Jerusalén, los sacerdotes, los levitas y todo el pueblo, desde el mayor hasta el más pequeño; y leyó a oídos de ellos todas las palabras del libro del pacto que había sido hallado en la casa de Jehová. Y estando el rey en pie en su sitio, hizo delante de Jehová pacto de caminar en pos de Jehová y de guardar sus mandamientos, sus testimonios y sus estatutos, con todo su corazón y con toda su alma, poniendo por obra las palabras del pacto que estaban escritas en aquel libro"* (2 Crónicas 34:30-31).

Hoy, el Señor está levantando una generación de líderes jóvenes, con temor de Dios y revelación de sus funciones y autoridad sacerdotales. Son líderes que aman y cuidan a sus esposas, que crían a sus hijos en obediencia al Padre y son de influencia en la sociedad. Esos Josías modernos acatan el llamado, viven en santidad y levantan la bandera de la justicia en la tierra, para liderar al remanente que verá la segunda venida de nuestro gran sumo sacerdote, Jesucristo.

- ## *La ignorancia voluntaria*

Existe otro tipo de ignorancia que es peor que la anterior, y se escoge voluntariamente. Dice la Escritura que *"aquel siervo que conociendo la voluntad de su señor, no se preparó, ni hizo conforme a su voluntad, recibirá muchos azotes. Mas el que sin conocerla hizo cosas dignas de azotes, será azotado poco..."* (Lucas 12:47-48).

Aquí, Dios claramente nos advierte que la ignorancia no es excusa ni nos exime de pecado. Cuando Él demanda que el hombre ejerza el sacerdocio, es porque lo considera un asunto serio. Por eso, el Señor dijo: *"Mi pueblo fue destruido, porque le faltó conocimiento. Por cuanto desechaste el conocimiento, yo te echaré del sacerdocio; y porque olvidaste la ley de tu Dios, también yo me olvidaré de tus hijos"* (Oseas 4:6). Dios quería que Israel fuera una nación de sacerdotes, pero ellos eligieron ignorar al Señor. Lo mismo ocurre en nuestro tiempo y las consecuencias de antes son iguales a las de hoy: la gente pierde sus matrimonios, el pueblo es derrotado, sus casas son asoladas y sus hijos caen atrapados en vicios, delincuencia y depresión. Todo, porque sus padres no supieron ser sacerdotes en su casa y prefirieron ignorar la voz de Dios.

La fortaleza más grande que el enemigo ha levantado en la mente del hombre es la ignorancia.

Hoy en día no hay excusas para la ignorancia. Los recursos están disponibles y el Espíritu Santo está dispuesto a asistirnos y guiarnos a toda verdad.

ACTIVACIÓN

Amado lector, el desafío está de su lado. Hoy lo reto a que se ponga de pie y enfrente la realidad de su sacerdocio. Si reconoce que no ha sido el sacerdote que su familia necesita; si ha abdicado como sacerdote y entregado las riendas de su casa a su esposa; si el espíritu de machismo o de matriarcado le impiden ser un sacerdote conforme al diseño de Dios; si está corrompido por el pecado y la inmoralidad, o simplemente ignora qué es ser un sacerdote, cuáles son sus funciones y cómo ejercer el sacerdocio; entonces, ¡Dios le está llamando ahora!

Acompáñeme a hacer la siguiente oración:

"Amado Padre celestial, vengo delante de Tu presencia porque siento que he sido confrontado. Ahora entiendo que no soy el sacerdote que Tú quieres que sea. He corrompido mi sacerdocio y no tengo el respeto de mi familia. Me he dejado dominar por el machismo y el matriarcado; no sé cómo ser ese sacerdote que les da dirección a sus hijos, que hace que su esposa se sienta amada, segura y respete a su esposo. Antes no sabía lo que es un sacerdote ni conocía sus funciones reales. Hoy te pido perdón de todo corazón. Me arrepiento sinceramente y renuncio a todo lo que me ha impedido ejercer el sacerdocio. Me comprometo a salir de la ignorancia, a sacar la corrupción de mi vida y convertirme en un sacerdote a través del cual el sacerdocio de Cristo pueda fluir sobre mi esposa, mis hijos, mi casa y toda esfera de mi vida. Te doy gracias Señor, ¡en el nombre de Jesús! ¡Amén!"

TESTIMONIOS

JOSHUA CRECIÓ SIN PADRE y sin Dios, en un hogar donde el sacerdocio estuvo totalmente ausente. Éste es su testimonio:

"SÉ QUE MUCHOS JÓVENES se pueden identificar con mi historia porque ocurre a menudo. Yo crecí sin padre. Siempre me faltó su ejemplo; alguien a quién seguir o a quién parecerme. Mi vida era un caos y estaba fundada en la rebeldía; no tenía identidad ni conocía el amor de Dios. No respetaba reglas; le faltaba el respeto a mi madre, a mi padrastro, y a quien fuera. Era tanta mi rebeldía que mis padres estaban a punto de echarme de la casa, creyendo que nunca iba a cambiar. Vivía deprimido, hundido en las drogas; pasaba horas bebiendo alcohol, solo, en mi habitación. Me sentía vacío y perdido. Hacía lo que fuera para calmar el dolor en mi corazón. Las drogas me ayudaban por un rato, pero poco después volvía a sentir ese enorme vacío. ¡No veía salida a mi situación! Sin embargo, hoy puedo decir que la única respuesta es Jesús. Pero no fue fácil; Él tuvo que perseguirme. Gracias a Él, ahora, soy una prueba viviente de lo que puede hacer Su amor. Después de tantas noches de vacío y soledad, ahora me siento una persona nueva. Dios restauró la relación con mi padrastro, mi madre y mi hermano menor. Siempre había anhelado que mi mamá me dijera 'te amo', pero como nuestra relación estaba rota, ella nunca había podido hacerlo, hasta ahora. Llevaba cinco años sin hablar con mi padrastro, pero ahora tenemos una buena relación. Dios incluso restauró la relación con mi padre biológico, quien me encontró a través de Facebook. Hoy, mi hermano menor me ve como un ejemplo, y ha decidido dar su vida a Cristo; quiere seguir la visión de nuestra iglesia porque ve los frutos en mi vida y en mis relaciones. Dios me trajo a casa y me ha permitido traer conmigo a mi familia, para que juntos le sirvamos a Él".

¡Es impactante cómo Dios puede cambiar una vida con solo tener un encuentro con Su amor de Padre, el cual se refleja en hombres que saben ejercer su sacerdocio!

"Mi nombre es Kelly. Antes de llegar a Dios, todo era diferente; vivíamos una vida desordenada y con muchas carencias. Gran parte de mi infancia la viví en medio del caos. Recuerdo lo que sentía en esos días en que no teníamos un hogar ni estabilidad, porque siempre nos desalojaban de donde vivíamos, ¡una y otra vez! Incluso, un par de meses llegamos a vivir, mi familia y yo (ocho personas), en un cuarto de hotel. La relación de mis padres era tan mala que llegó al borde del divorcio. Mi padre, que ya se había ido de la casa, un día se reunió con mi madre en un restaurante, con los papeles de divorcio en la mano. En el restaurante se encontraron con un conocido de ellos, que había pasado una gran crisis financiera. Incluso, ellos lo habían visto ir al trabajo en bicicleta. Sin embargo, ahora tenía su auto y se veía muy cambiado. Mis padres le preguntaron qué había hecho, y él les dijo que Dios lo había transformado y ahora tenía una vida nueva y bendecida en Cristo. Ese día sus vidas cambiaron por completo. Mis padres decidieron hacer lo mismo y fueron con él a la iglesia. En un solo servicio, Dios transformó sus vidas para siempre. Ese mismo día, el apóstol Maldonado les dio una palabra profética para su matrimonio y ¡todo cambió! La impartición fue tan radical que hoy, ellos son un ejemplo para mí y mis hermanos, porque son verdaderos sacerdotes del reino de Dios. Ahora, caminamos bajo cielos abiertos; el negocio de mi padre ha sido bendecido, nuestras finanzas fueron restauradas, y hasta tenemos una casa propia en una excelente zona de la ciudad. Podemos viajar y acompañar a nuestro apóstol en sus viajes misioneros. Todos servimos a Dios en áreas diferentes. Siempre le damos la gloria a Él por lo que hizo en nuestra familia. El manto del sacerdocio que está sobre la iglesia hizo la diferencia en nuestro hogar. Mis padres y su compromiso con Dios me han formado, y cambiaron mi manera de acercarme a Él. Jesús restauró el sacerdocio en nuestro hogar, y yo le estaré por siempre agradecida. Ahora, en mi casa se siente Su presencia y eso no tiene precio. ¡Gracias Abba!"

2 | EL Sacerdocio Levítico y el de Melquisedec

L A HISTORIA BÍBLICA nos muestra que, desde épocas remotas, el hombre ha ejercido funciones sacerdotales. (Vea, por ejemplo, Génesis 15:9; 26:25; 28:18; 33:20). En aquel tiempo, no solo eran los patriarcas quienes acostumbraban construir altares y ofrecer sacrificios, tal como lo podemos ver en el caso de Caín y Abel (Génesis 4:4) y de Noé (Génesis 8:20). En realidad, a lo largo del Antiguo Testamento podemos observar dos tipos de sacerdocio: el sacerdocio levítico, instituido según el orden de Aarón (vea Éxodo 29:9), el cual comenzó tras la liberación de Israel de su cautiverio en Egipto; y el sacerdocio según el orden de Melquisedec, al cual hacen referencia los libros de Génesis, Salmos y Hebreos.

En este capítulo analizaremos estos dos tipos de sacerdocio y observaremos sus notables diferencias.

El sacerdocio levítico

Tanto el sacerdocio levítico como el de Melquisedec están ligados a la figura de Abram, quien procedía de una familia idólatra que vivía en Ur de los caldeos. Aun antes de cambiarle el nombre y ponerle Abraham, el Señor le pidió que dejara todo para ir al lugar que Él le mostraría. A cambio, le prometió: *"…haré de ti una nación grande, y te bendeciré, y engrandeceré tu nombre, y serás bendición. Bendeciré a los que te bendijeren, y a los que te maldijeren maldeciré; y serán benditas en ti todas las familias de la tierra"* (Génesis 12:2-3). No obstante, Isaac, el hijo de la promesa, nació cuando Abraham tenía cien años y Sara, su esposa, había cumplido 90 años. La fe de Abraham para esperar en la fidelidad de Dios desató el cumplimiento de todas las otras promesas. Tres generaciones más tarde, el pueblo que había salido de los lomos de este patriarca llegó a multiplicarse de tal manera, que eran incontables.

Dios había hecho un pacto con Abraham diciendo: *"Y te daré a ti, y a tu descendencia después de ti, la tierra en que moras, toda la tierra de Canaán en heredad perpetua; y seré el Dios de ellos"* (Génesis 17:8). Sin embargo, en camino a la tierra prometida, el pueblo cayó bajo la esclavitud egipcia, y Dios tuvo que intervenir para liberarlo. Para eso tuvo que levantar un nuevo líder, Moisés. Cuando estuvieron a salvo en el desierto, el Señor hizo un nuevo pacto con ellos y los instituyó como nación. Israel sería muy diferente a otros pueblos, porque no tendría un rey, sino que estaría bajo el reinado de Dios; pues era una nación escogida y consagrada para Él. *"Vosotros visteis lo que hice a los egipcios, y cómo os tomé sobre alas de águilas, y os he traído a mí. Ahora, pues, si diereis oído a mi voz, y guardareis mi pacto, vosotros me seréis un reino de sacerdotes, y gente santa..."* (Éxodo 19:4-6).

Dios escogió a Israel para convertirla en nación sacerdotal. Por eso, cuando le dijo a Moisés que construyera el tabernáculo, también le dio instrucciones acerca de cómo separar, ungir y consagrar a los próximos sacerdotes. De Abraham salieron las doce tribus; y la de Leví fue escogida específicamente para el sacerdocio, teniendo a Aarón, el hermano de Moisés, como sumo sacerdote. Sin embargo, la nación entera de Israel se hizo sacerdotal por diseño, llamado y propósito. Cada persona en el país era un sacerdote, aunque solo los levitas podían ejercer el sacerdocio en el tabernáculo. Dios los separó para Sí mismo; por eso, Israel sería el vientre que concebiría al Mesías y Sumo Sacerdote de la humanidad: Jesús.

Los reyes de Israel no iban a la guerra sin la palabra del profeta y la bendición del sacerdote.

El llamado y el oficio sacerdotal

No es lo mismo tener un llamado sacerdotal que ejercer el oficio de sacerdote. Todo Israel fue llamado a ser una nación sacerdotal, pero el oficio era solo para la tribu de Leví. En el nuevo pacto, bajo el cual vivimos, todos tenemos llamado sacerdotal, pero no todos ejercemos el oficio de sacerdotes. Esto no significa que pasamos a ser creyentes pasivos. Si usted es un hombre que está casado y tiene hijos, debe ejercer el sacerdocio activamente en su hogar, orando, presentando ofrendas a Dios, sirviendo a su familia, siendo autoridad sobre su esposa e hijos. Si es una madre soltera, usted está llamada por Dios a ejercer en su casa la función sacerdotal.

El sacerdocio de Melquisedec

Melquisedec fue una tipología de Jesús, muy superior a Abram. De él dice la Escritura, *"Porque este Melquisedec, rey de Salem, sacerdote del Dios Altísimo, que salió a recibir a Abraham que volvía de la derrota de los reyes, y le bendijo, a quien asimismo dio Abraham los diezmos de todo; cuyo nombre significa primeramente Rey de justicia, y también Rey de Salem, esto es, Rey de paz; sin padre, sin madre, sin genealogía; que ni tiene principio de días, ni fin de vida, sino hecho semejante al Hijo de Dios, permanece sacerdote para siempre. [...] Pero aquel cuya genealogía no es contada de entre ellos, tomó de Abraham los diezmos, y bendijo al que tenía las promesas"* (Hebreos 7:1-3, 6).

La primera vez que la Biblia menciona la palabra "sacerdote" es para referirse a Melquisedec, quien recibió a Abram, luego que este último hubiera derrotado a los reyes que habían atacado Sodoma. En medio del combate, Abram había rescatado a su sobrino Lot y su familia, quienes habían sido tomados cautivos. *"Entonces Melquisedec, rey de Salem y sacerdote del Dios Altísimo, sacó pan y vino; y le bendijo, diciendo: Bendito sea Abram del Dios Altísimo, creador de los cielos y de la tierra"* (Génesis 14:18-19).

Un reino de reyes y sacerdotes

Melquisedec bendijo a Abram porque, *"sin discusión alguna, el menor es bendecido por el mayor"* (Hebreos 7:7). Si bien Abram era un profeta legítimo de Dios, tuvo que entregarle los diezmos a Melquisedec, porque conocía que era mayor que él; pues este último era sacerdote y rey. Bíblicamente, Melquisedec es un orden sacerdotal, del cual Jesús es Sumo Sacerdote (vea Hebreos 6:20). Es, asimismo, el mayor de los sacerdocios citados en el texto bíblico.

> *El sacerdocio de Melquisedec es mayor y más poderoso, porque requiere que seamos reyes y sacerdotes.*

En el Nuevo Testamento, Jesús es revelado como el Rey de reyes, Señor de señores y Sumo Sacerdote conforme al orden de Melquisedec. ¿Qué caracteriza a este sacerdocio? Que trasciende el tiempo y abarca tanto el Antiguo como el Nuevo Testamento. Un ejemplo de este tipo de sacerdocio es el rey David, quien, aunque vivió en el Antiguo Testamento, adoró a Cristo mil años antes que Jesús naciera. Así, en el Salmo 22 lo presenta como el buen Pastor que entrega su vida por las ovejas; en el Salmo 23, lo muestra como el Pastor que cuida las ovejas; y en el Salmo 24, como el Príncipe de los pastores que vendrá por Sus ovejas. Sin embargo, para entender esto debemos tener revelación que la obra de la cruz es un evento eterno; y que Jesús, el soberano de los reyes de la tierra, primero tuvo que vencer la muerte, para luego hacernos reyes y sacerdotes para Dios, su Padre (vea Apocalipsis 1:5-6).

Como reyes y sacerdotes tenemos diferentes niveles de autoridad, los cuales están relacionados con nuestro llamado. Por ejemplo, un apóstol tiene mayor autoridad en el Espíritu, como rey y sacerdote, porque su llamado va respaldado con una unción mayor que abarca extensos territorios y multitud de personas. Por eso, Dios le da acceso a presidentes de naciones y otras altas autoridades, a fin de que Su voz llegue a altas esferas y pueda gobernar desde el mundo espiritual. De ahí que la Escritura reitera que Jesús *"...nos has hecho para nuestro Dios reyes y sacerdotes, y reinaremos sobre la tierra"* (Apocalipsis 5:10).

Respecto a la unción para influir en esferas gubernamentales, la Biblia nos muestra que varios reyes fueron visitados en sueños por Dios, y el Señor les reveló lo que tenían que hacer. Ejemplo: cuando Faraón soñó con siete vacas flacas y siete vacas gordas, el Señor le envió a José, con unción de rey y sacerdote, para revelarle el significado de su sueño y guiarlo sabiamente a salvar a Egipto y al pueblo de Dios, de la hambruna que se extendió por toda la tierra. Salomón fue otro de los reyes visitados por Dios en sueños. *"Y se le apareció Jehová a Salomón en Gabaón una noche en sueños, y le dijo Dios: Pide lo que quieras que yo te dé"* (1 Reyes 3:5). Y Dios le dio sabiduría, como a ningún otro; y también le dio riquezas y honra que el joven rey no había pedido.

De ahí que, cuando vamos ante Dios debemos orar como sacerdotes y reyes, no como mendigos. Sin importar si desempeñamos un alto cargo en el ministerio o somos nuevos creyentes, todos tenemos un llamado sacerdotal. Debemos orar en el ámbito del Espíritu por los presidentes, primeros ministros, reyes, y por todos los que están en eminencia –ya sea que simpaticemos con ellos o no–, para que tengan una visitación de Dios.

Diferencias entre el sacerdocio levítico y el de Melquisedec

Habiendo entendido los dos tipos de sacerdocio que Dios estableció, veamos ahora las diferencias entre ambos:

Vea el cuadro comparativo en la siguiente página

Sacerdocio Levítico	Sacerdocio de Melquisedec
■ **Era de símbolos y sombras**	■ **Es la realidad y plenitud del sacerdocio**
El sacerdocio del AT era solo un simbolismo de lo verdadero que vino con Jesús. Así, el sumo sacerdote era el único que entraba al lugar santísimo a interceder por el pueblo. (Vea, por ejemplo, Levítico 16:17; Hebreos 8:4-5).	Jesús es nuestro Sumo Sacerdote, que intercede por nosotros ante el Padre. Hoy, todos podemos entrar confiadamente al lugar santísimo como hijos (vea Hebreos 4:15-16).
■ **Se basaba en rituales**	■ **Está basado en la obra terminada de Jesús en la cruz**
Tenían que repetir los sacrificios de animales para el perdón de los pecados (vea Levítico 16). No entendían que el Cordero había sido inmolado antes de la fundación del mundo, ni conocían el poder de la sangre de Jesús.	Jesús es el sacrificio último y máximo para redimir el pecado de la humanidad. Su sangre es la única que nos limpia una vez y para siempre (Vea, por ejemplo, Juan 19:30; Hebreos 7:27).
■ **Rechazó al Mesías enviado por Dios**	■ **Recibió al Mesías y Rey**
Esa es la razón por la cual el judaísmo no ha tenido una reforma espiritual, ni ha dado pasos a lo nuevo. Ellos siguen esperando al Mesías (Juan 1:11).	Lo que la nación de Israel rechazó en el primer siglo, muchos de los gentiles lo abrazaron. Hoy todos los cristianos, ya sea gentiles o de ascendencia judía, oyen el llamado a llevar el evangelio al mundo, para que toda la raza humana reciba Su salvación, amor y poder.

■ Tenía que ser ejercido solo por varones	■ Es ejercido por hombres y mujeres
Bajo el orden de Aarón, el sacerdocio en el tabernáculo o el templo era un oficio reservado exclusivamente para los hombres (Levítico 7:6).	En Jesús no hay hombre ni mujer, esclavo ni libre. Todos somos iguales cuando entramos a Su presencia, presentando sacrificios, intercediendo y santificándonos. (Vea, por ejemplo, Gálatas 3:26-28; Apocalipsis 1:6).
■ No tenía al Espíritu Santo	■ Bajo la guía del Espíritu Santo
El sacerdocio levítico no era ejercido bajo la continua inspiración y poder del Espíritu Santo. Ellos solo usaban símbolos y rituales que anunciaban la venida del Mesías.	El Espíritu Santo vive en los creyentes, continuamente guiando, empoderando, ayudando y aconsejando al sacerdocio cristiano; además, el Espíritu manifiesta las señales y maravillas que suceden cuando el evangelio del Reino es anunciado (vea Juan 14:26).
■ Era tribal	■ Es global
A fin de ejercer el sacerdocio, un hombre tenía que haber nacido en la tribu de Leví (vea Deuteronomio 10:8).	Todos somos sacerdotes. El único requisito es haber creído en Cristo y haber sido bautizados en el Espíritu Santo (1 Pedro 2:9).
■ Eran solo sacerdotes	■ Somos sacerdotes y reyes
El sacerdocio levítico no tenía autoridad de gobierno; eran solo sacerdotes. Hebreos 7 muestra la supremacía del sacerdocio de Cristo sobre el sacerdocio levítico.	El Nuevo Pacto nos hace sacerdotes y reyes. Como sacerdotes ofrecemos sacrificios a Dios. Como reyes gobernamos en el Espíritu, con poder para atar y desatar (vea Mateo 16:19).

Muchas iglesias cristianas evitan el sacerdocio de Melquisedec y prefieren seguir con una especie de sacerdocio levítico; siguen rituales religiosos en lugar de caminar en el Espíritu, y no entienden su papel como sacerdotes y reyes bajo la autoridad de Cristo. Sin embargo, como hemos visto, el sacerdocio de Melquisedec no solo anula el sacerdocio levítico sino también la Ley (vea Hebreos 7:11–19). ¿Por qué el sacerdocio de Cristo es superior al levítico? En Hebreos 7:20–28 hallamos la respuesta: (1) su inmutabilidad (Cristo no cambia) y (2) su perpetuidad (Él resucitó y vive para siempre). La iglesia de los últimos tiempos está llamada a ejercer el sacerdocio de Melquisedec. De ahí que la Biblia nos enseña: *"Vosotros también, como piedras vivas, sed edificados como casa espiritual y sacerdocio santo, para ofrecer sacrificios espirituales aceptables a Dios por medio de Jesucristo"* (1 Pedro 2:5).

ACTIVACIÓN

Amado lector, si usted como cristiano, ha llevado simplemente un sacerdocio religioso, lleno de ritos y formas, hoy el Espíritu Santo quiere abrir sus ojos espirituales para que vea que necesita asumir el sacerdocio que Jesús le mandó a ejercer. Usted no está llamado a hacer oraciones repetitivas; no está llamado a vivir en condenación, creyendo que su pecado no puede ser perdonado, y que tiene que hacer penitencias o hacer buenas obras para obtener el perdón. No está llamado a ministrar a Dios sin la llenura del Espíritu Santo, no está llamado a ir religiosamente a la iglesia, no está forzado a leer la Biblia como un libro histórico o teórico, mucho menos a cantar las mismas canciones una y otra vez, sin revelación

Tampoco está llamado a pensar que solo el pastor puede estar en la presencia de Dios, o que solo las oraciones del pastor son contestadas. Si es mujer, no está llamada a vivir como si fuera una ciudadana de segunda clase; Jesús murió por usted y le dio sacerdocio. Como cristianos no estamos llamados a vivir en escasez espiritual ni financiera, pensando que tenemos que morir para gozar del Reino de Dios.

Si usted quiere comenzar a ejercer el verdadero sacerdocio espiritual ante Dios, ante su familia y ante su iglesia, le invito a hacer la siguiente oración, con todo su corazón:

"Señor Jesús, hoy oro ante Ti, reconociéndote como mi Sumo Sacerdote. Reconozco Tu autoridad y poder, y recibo el sacerdocio que ejerces por mí en el cielo, ante el Padre. Te pido perdón por no haber ejercido el sacerdocio según el orden de Melquisedec, y te ruego que me ayudes a hacerlo a partir de hoy. Declaro que soy rey y sacerdote por el poder de Tu resurrección; porque Tú abriste el acceso, derribaste la pared que me separaba del Padre, y hoy puedo presentarme ante Él con sacrificios espirituales. Recibo mi sacerdocio y me comprometo a comenzar a ejercerlo a la manera de Cristo. Lo declaro en Tu nombre, amado Jesús. ¡Amén!"

TESTIMONIO

EL PASTOR EDGAR ORTUÑO pastorea la red de iglesias más grande de Bolivia, Sudamérica, con más de veintidós mil miembros en total. Pero no siempre fue así. Cuando llegó a nosotros, tanto él como su iglesia tenían una profunda necesidad de un verdadero sacerdocio para desarrollar su ministerio. Recién graduado como Licenciado en Teología, había sido enviado a pastorear una iglesia con una fuerte mentalidad religiosa; pero la impartición del sacerdocio de Jesús, lo ayudó a desarrollar el suyo y establecer el Reino de Dios en Bolivia.

"COMO PASTOR EN BOLIVIA, he podido ver la impartición del sacerdocio a través del poder sobrenatural de Dios que impactó nuestro ministerio. Al llegar a El Rey Jesús, fuimos liberados del espíritu de religiosidad y muchas fortalezas mentales. Conocimos a Dios de otra manera, gracias al sacerdocio de nuestros padres espirituales. El sacerdocio del apóstol Maldonado me ha enseñado, ha sido un ejemplo para mí; me ha mostrado que, en Cristo, puedo hacer grandes cosas, que los obstáculos son desafíos y que Dios me dará la victoria a través de ellos. La profeta Ana ha impartido tanto sobre mi esposa que ella también ha ido a mayores dimensiones en su sacerdocio en las áreas de intercesión y liberación. Nuestro matrimonio ahora tiene un propósito y nuestro crecimiento no se detiene. He aprendido a ser un hijo, un padre y un esposo, porque Jesús ha formado Su sacerdocio en mí. Juntos, mi esposa y yo, hemos crecido en nuestro sacerdocio en el ministerio que está impactando diferentes partes de Sudamérica. Cuando llegamos a El Rey Jesús, éramos pastores de una iglesia de unas 200 personas. Habíamos comenzado con mucho ímpetu, pero cada plan que iniciábamos fracasaba porque la gente se rehusaba a comprometerse y no sabíamos qué más hacer. No teníamos una cobertura espiritual, un sacerdocio que nos enseñara, nos corrigiera, nos impartiera y guiara; que nos diera paternidad espiritual y nos empoderara.

"Desesperado por un cambio, vi al apóstol Maldonado en televisión, y de inmediato me identifiqué con su palabra, su personalidad y unción, así que decidí asistir a una conferencia, a conocerlo. Una vez en Miami, las prédicas me chocaban y todo me resultaba extraño. Yo había ido con una mentalidad de mendigo a pedir ayuda financiera y me encontré con algo que revolucionó mi espíritu. Yo había estado ejerciendo un sacerdocio religioso, y allí me enseñaron a desatar la provisión por medio del sacerdocio del Nuevo Testamento. Dios rompió mi mentalidad de mendigo, mis paradigmas religiosos y transformó mi corazón. ¡Hoy no somos los mismos! La palabra profética recibida de nuestros padres espirituales fue fundamental; nos dio dirección y nos activó para avanzar. Antes éramos una iglesia pasiva, casi sin vida; hoy estamos impactando nuestra ciudad y los alrededores. La congregación pasó de 200 a 4.500 personas. Ahora formamos líderes, hijos de la casa, para enviarlos a levantar nuevos ministerios. Vemos milagros poderosos constantemente.

"Antes no podía poner en movimiento mi iglesia; hoy, hacemos cruzadas mensuales y evangelismo en las calles; la gente se convierte, es entrenada y activada en el liderazgo, lo sobrenatural y el propósito que Dios le dio a cada uno. Aprendimos a ganar las batallas en oración, y las cosas suceden. Nuestra economía, que apenas alcanzaba para pagar los servicios básicos, se incrementó un 900 por ciento. Sostenemos un orfanato sin ayuda externa. Tenemos programas de televisión y radio; construimos un templo para seis mil personas, ¡sin deuda! Establecimos la Universidad del Ministerio Sobrenatural en Bolivia para seguir levantando líderes, pastores, evangelistas, maestros, profetas y apóstoles que impacten el mundo. Supervisamos más de 64 iglesias, dentro y fuera de Bolivia, y seguimos creciendo.

"Los problemas más grandes que enfrentamos al establecer la visión fueron la difamación, la incomprensión y el aislamiento de los pastores de la ciudad; pero no pudieron prevalecer ante la evidencia de los frutos. ¡La aceleración, rompimiento y multiplicación han sido sobrenaturales! Desde que recibimos la revelación del sacerdocio del Nuevo Testamento, todo se alineó. Todo lo que antes era imposible, hoy es una realidad. Avanzamos alineados a la voluntad de Dios y al poder del Espíritu Santo. Como reyes y sacerdotes, gobernamos en el mundo espiritual y establecemos el Reino en nuestro territorio. ¡A Dios sea toda la gloria!"

3 | El Sacerdocio del Nuevo Testamento

EL SACERDOCIO DE Jesús es superior a cualquier otro, tanto del Antiguo como del Nuevo Testamento. Hebreos 4:14 reconoce a Cristo como nuestro "gran sumo sacerdote". En capítulos anteriores, dije que Aarón fue el sumo sacerdote según el sacerdocio Levítico, pero el sacerdocio de Aarón no alcanza a compararse al de Jesús. En realidad, Jesús es el ejemplo supremo de lo que significa ser un sacerdote, tan supremo como Él es en todas las cosas. Hebreos 7:26 dice que el sacerdocio de Jesús es *"más sublime que los cielos"*. La Escritura afirma esta verdad al revelar cómo *"Dios le exaltó hasta lo sumo"* (Filipenses 2:9) y cómo Jesús fue ascendido *"por encima de todos los cielos para llenarlo todo"* (Efesios 4:10).

Reconociendo que Jesús es el ejemplo perfecto del ejercicio pleno del sacerdocio bajo el nuevo pacto, Su mediación a favor nuestro –en la cruz y con su continua intercesión–, nos permite acercarnos *"confiadamente al trono de la gracia, para alcanzar misericordia y hallar gracia para el oportuno socorro"* (Hebreos 4:16). Por lo mismo, todo creyente cuyo anhelo sea ejercer el sacerdocio verdadero y completo de Cristo, debe poner su mirada en Él.

La restauración del sacerdocio está ligada a la segunda venida de Jesús.

Fortaleciendo el Cuerpo de Cristo

Hoy, Jesús está restaurando el sacerdocio en la iglesia. Yo creo que la iglesia –la novia– está adquiriendo mayor conciencia de Su presencia, porque el sacerdocio de esta generación está recibiendo mayor autoridad del cielo. Dios está levantando una nueva generación apasionada por buscar Su presencia y caminar en lo sobrenatural.

En su carta dirigida a la iglesia de Éfeso, Pablo explica cómo Jesús dio dones para preparar al pueblo de Dios y hacer más fuerte al cuerpo de Cristo: *"Y él mismo constituyó a unos, apóstoles; a otros, profetas; a otros, evangelistas; a otros pastores y maestros, a fin de perfeccionar a los santos para la obra del ministerio, para la edificación del cuerpo de Cristo, hasta que todos lleguemos a la unidad de la fe y del conocimiento del Hijo de Dios, a un varón perfecto, a la medida de la estatura de la plenitud de Cristo"* (Efesios 4:11-13). La obra del ministerio debe continuar hasta que todos estemos unánimes juntos en lo que creemos y en lo que conocemos acerca del Hijo de Dios. Como iglesia, nuestra meta es convertirnos en adultos, maduros, a fin de parecernos a Cristo en todas sus características.

Características del sacerdocio de Jesús

Veamos qué caracteriza el sacerdocio de Jesús.

■ Jesús es la revelación de la presencia de Dios

Jesús fue la expresión visible de la presencia de Dios en la tierra. Como sacerdote, Jesús manifestó en la tierra lo que el Padre es en el cielo. Él siempre se refería al Padre como alguien muy cercano e íntimo, y sabía que la presencia de Dios siempre estaba cerca. Esto explica por qué dondequiera que iba, Él cambiaba la atmósfera espiritual y sucedían milagros.

> *Cuando la iglesia está consciente del sacerdocio de Jesús, más desea estar en Su presencia.*

Cuando tenemos conciencia del propósito del sacerdocio de Jesús, podemos entender nuestro llamado y el verdadero poder que puede operar a través de nosotros. La presencia de Dios es un lugar donde el aceite de la unción es continuo, donde sopla el aliento del Espíritu, donde encontramos descanso, donde hay plenitud, paz y disfrute. La presencia del Dios Todopoderoso es el lugar donde la iglesia debe permanecer y hacia donde debe guiar a los creyentes.

Mientras estuvo en la tierra, a diario Jesús pasaba horas en la presencia del Padre. En una de Sus oraciones documentadas, Él dijo: *"Padre justo, el mundo no te ha conocido, pero yo te he conocido, y éstos han conocido que tú me enviaste. Y les he dado a conocer tu nombre, y lo daré a conocer aún, para que el amor con que me has amado, esté en ellos, y yo en ellos"* (Juan 17:25-26). En lenguaje bíblico, el verbo "conocer" no solo alude a un saber mental, teórico o un conocimiento superficial. Para los judíos, "conocer" significa tener una experiencia íntima con la persona u objeto que se conoce. Tener intimidad con alguien quiere decir ser sensible a los detalles más pequeños de nuestras vidas: cómo pensamos y sentimos, cuáles son nuestras intenciones, nuestros deseos y planes; lo que nos gusta y no nos gusta, etcétera. Dios quiere que lo conozcamos íntimamente.

Al igual que Jesús, usted puede llegar a tener íntima relación con Dios, pero para eso, debe pasar tiempo en Su presencia y conocerlo genuinamente. Una vez que lo haga, se convertirá en un portador de Su presencia. Esto no quiere decir que se acabaron todos los problemas; pero, como en cualquier relación íntima, las circunstancias más difíciles pueden resolverse a través de la comunicación. La presencia de Dios siempre restaurará la paz y la armonía en nuestras vidas.

Cuando la presencia de Dios llena el aire, suceden milagros, señales y maravillas. Los enfermos son sanados, los oprimidos son liberados y todos somos empoderados para vivir como hijos de Dios. Cuando la gente recibe las buenas nuevas de salvación, se reconcilian con el Padre y comienzan a entender lo que significa ser un seguidor de Cristo.

■ Jesús ama la oración

Jesús dedicó los primeros años de Su vida a convertirse en nuestro Sumo Sacerdote. Esto lo logró estudiando la Palabra, ofreciendo sacrificios espirituales a Dios y orando durante largas horas. Jesús amaba la oración, porque allí Él podía encontrarse con el Padre, conectarse con Él y afirmarse en Su llamado. En la presencia de Dios fue empoderado para obrar milagros y desafiar las fuerzas demoniacas. En oración, el Espíritu Santo lo llenaba de poder, fuerza, sabiduría, gracia y unción para cumplir Su ministerio en la tierra.

Gracias a la oración, Jesús se mantenía en alerta espiritual todo el tiempo. Por eso, Jesús pudo discernir el momento en que iba a ser entregado a Sus enemigos. Sabiendo lo que habría de suceder, Él oró diciendo: "*...Padre, mío, si es posible, pase de mí esta copa: pero no sea como yo quiero, sino como tú*" (Mateo 26:39). Jesús dependió tanto de la oración que incluso pudo discernir cuándo uno de sus discípulos iba a traicionarlo. "*... ¿Todavía están durmiendo y descansando? He aquí la hora está cerca, y el Hijo del Hombre va a ser entregado en manos de pecadores. ¡Levántense, vamos! He aquí está cerca el que me entrega.*" (Mateo 26:45-46 RVA-2015).

Esto sucedió la noche en que Jesús fue entregado a los soldados romanos para ser juzgado y crucificado. Él fue a orar y llevó consigo a tres de Sus más íntimos, pero éstos se quedaron dormidos. De la misma manera, hoy en día el sacerdocio está dormido; por eso no percibe los tiempos que vivimos. Al no estar preparado, no puede advertir al pueblo ni interceder ante Dios. Tampoco puede discernir la necesidad de orar por los que están bajo su sacerdocio. ¡Esto no puede seguir así! Necesitamos un despertar espiritual que nos lleve a velar y orar como lo hacía Jesús. En mi libro *"La Oración de Rompimiento"* enseño detalladamente acerca de este tema. Usted debe leerlo si desea progresar en su vida de oración y ser un verdadero sacerdote del Dios Altísimo.

■ Jesús es nuestro intercesor

Como Sumo Sacerdote, Jesús intercedía y sigue intercediendo por la humanidad. De ahí que, cuando supo que Pedro lo negaría, medió por él ante el Padre. Por eso le dijo, Pedro *"...yo he rogado por ti, que tu fe no falte"* (Lucas 22:32). También intercedió por la unidad de quienes creían en Él. *"...Padre santo, a los que me has dado, guárdalos en tu nombre, para que sean uno, así como nosotros. No ruego que los quites del mundo, sino que los guardes del mal. Mas no ruego solamente por éstos, sino también por los que han de creer en mí por la palabra de ellos"* (Juan 17:11, 15, 20). En esencia, todo el capítulo 17 del Evangelio de Juan nos muestra cómo Jesús oró por Sus discípulos. Esto nació de Su conocimiento de Dios, de Su discernimiento de los tiempos y del ejercicio de Su sacerdocio.

El verdadero sacerdote más que pedir para sí mismo, intercede por otros ante Dios.

Como sacerdote, yo asumo la tarea diaria de presentar a mi familia natural y espiritual ante Dios. Además, intercedo por la salvación de quienes aún no conocen a Cristo. Intercedo por los que están enfermos, los oprimidos por el diablo, por los que viven en miseria, por quienes permanecen esclavizados a las drogas y otros vicios; oro además para que Dios libere a Su pueblo de todo yugo de maldad. Usted como hombre también debe presentarse ante Dios en oración, para orar por sus hijos, su esposa, su trabajo, su negocio, su ciudad, su nación y por la iglesia de Cristo.

■ Jesús vivió en santidad

Después de la caída del hombre, Jesús fue la primera persona en vivir en santidad, y nos modeló cómo hacerlo santificándose por nosotros. *"Y por ellos yo me santifico a mí mismo, para que también ellos sean santificados en la verdad"* (Juan 17:19). Todo buen sacerdote debe tomar responsabilidad por aquellos que Dios ha puesto bajo su sacerdocio, y debe santificarse por ellos. No obstante, algunos sacerdotes de nuestro tiempo son irresponsables con la función que Dios les ha asignado.

Muchos se parecen más a Caín –que fue irresponsable con sus deberes sacerdotales–, que a Jesús, quien fue plenamente responsable de lo que debía hacer. En el Antiguo Testamento, cuando Dios le preguntó a Caín por Abel, él respondió: *"No sé. ¿Soy yo acaso guarda de mi hermano?"* (Génesis 4:9). Sin embargo, Jesús siempre responde a las necesidades de Su pueblo con la máxima expresión de amor: *"Nadie tiene mayor amor que éste, que uno ponga su vida por sus amigos"* (Juan 15:13).

El primer sacrificio que ofrece un sacerdote del Nuevo Testamento es su propia vida.

El sacerdocio es un llamado a la santidad, a vivir apartados del mundo y separados para el uso exclusivo de Dios. Dice la Escritura: *"Mas vosotros sois linaje escogido, real sacerdocio, nación santa, pueblo adquirido por Dios…"* (1 Pedro 2:9). Significa que fuimos apartados para un propósito divino. No fuimos separados para hacer lo que queramos, sino para ser sacerdotes de Dios, viviendo en santidad. Algo anda mal cuando en la iglesia el sacerdocio quiere hacer lo mismo que hace el mundo, comprometiendo la verdad, aplicando métodos y formas que no provienen de Dios. Actuar de manera secular afecta nuestra capacidad de alcanzar y transformar a quienes aún no conocen a Jesucristo, el Hijo de Dios.

No podemos llevar la santidad a un mundo corrompido por el pecado, si nuestro sacerdocio no es santo.

Vivimos tiempos en los que la conducta de quienes están en la iglesia no es muy diferente a la de quienes están en el mundo. La iglesia ha degradado todas las cosas que deberían hacernos diferentes. Se ha adaptado a lo que la gente quiere, de la misma manera que el mercado se adapta a lo que demanda el consumidor. Sus líderes se han convertido en defensores de la tolerancia, en lugar de serlo de la santidad. Hoy, no se permite llamar al pecador al arrepentimiento, porque es considerado ofensivo. Quienes aceptan eso, se han conformado a vivir del engaño y han pervertido su sacerdocio, porque nadie puede arrepentirse de un pecado que le han enseñado a tolerar. Es más, nadie puede arrepentirse de algo que ni siquiera reconoce que es pecado.

Como he dicho en oportunidades anteriores, el mundo ha alterado los valores morales; pues llama a lo malo, bueno y a lo bueno, malo (vea Isaías 5:20). Entre tanto, el sacerdocio ha optado por unirse a los desenfrenos mundanos, en lugar de pararse con denuedo y proclamar santidad. Pedro fue valiente cuando instó a los cristianos del primer siglo, diciéndoles: *"... Como aquel que os llamó es santo, sed también vosotros santos en toda vuestra manera de vivir; porque escrito está: Sed santos, porque yo soy santo"* (1 Pedro 1:15-16).

Hay un fuerte llamado de Dios para vivir en santidad y separarnos por completo para Él. No podemos vivir en medio de dos aguas. Debemos elegir: somos fríos o calientes, buenos o malos, varones o mujeres, veraces o falsos; es decir, vamos al cielo o al infierno. Porque no existe nada intermedio que conjugue lo mundano con lo santo, que sea agradable a Dios.

El propósito de la santidad es prevenir las mezclas.

No podemos mezclarnos con lo mundano, porque terminaremos teniendo un poco del Espíritu, otro poco de la carne y aun otra parte demoniaca. Así como el árbol es conocido por su fruto, pero la esencia de su vida está en la raíz; de la misma forma, los frutos humanos provienen de lo que hay en el corazón del hombre. Esto condiciona las intenciones y motivos que nos llevan a actuar. Cuando lo que hacemos viene del Espíritu, pero la motivación es de la carne, se produce una mezcla que profana la santidad. Sin embargo, es común ver sacerdotes mezclando las cosas del Espíritu con las demoniacas; ligando un poco del don con mucho de la carne. Esto daña a quienes están a su alrededor y termina destruyendo lo que edificaron.

Más adelante abordaré el tema de la santidad con mayor detalle; pues, orando por el pueblo, Dios ha puesto una carga en mi espíritu por la santidad del sacerdocio. Y siento que, como sacerdote, debo advertir, exhortar y hacer un llamado a la santidad hoy. ¿Está usted dispuesto a responder a ese llamado? Oro que así sea.

■ Jesús vino a servir

Hoy en día muchos líderes en la iglesia se han enseñoreado de sus congregaciones. No sirven al pueblo, sino que esperan ser servidos. Ven el sacerdocio como una carrera profesional. Subyugan al pueblo y se sienten superiores al mismo. Ése no es el verdadero sacerdocio; Cristo siempre sirvió a otros antes que a Él mismo. Jesús les enseñó a Sus discípulos la diferencia entre ejercer autoridad y servir: *"...Los gobernantes de las naciones se enseñorean de ellas, y los que son grandes ejercen sobre ellas potestad"*. Pero también les dijo que en el Reino no debe ser así, porque *"...el Hijo del Hombre no vino para ser servido, sino para servir, y para dar su vida en rescate por muchos"* (Mateo 20:25, 28). Él, como Sumo Sacerdote, no vino a enseñorearse de nadie, sino a servir a todos, dándose por completo por nuestra salvación.

El sacerdote pone su vida al servicio de su familia y de aquellos que Dios ha puesto bajo su sacerdocio.

■ Jesús ama Su Iglesia y la cuida

Muchos hombres no conocen su verdadero rol; por eso maltratan y someten a su familia. Esos hombres demandan mucho de su esposa e hijos, aunque ellos no cumplen su compromiso sacerdotal.

El verdadero sacerdote ama y cuida a su esposa e hijos, dando su vida por ellos, tal como lo hizo Jesús. De ahí que, Pablo les escribió a los hombres de Éfeso explicándoles sus roles como sacerdotes: *"Maridos, amad a vuestras mujeres, así como Cristo amó a la iglesia, y se entregó a sí mismo por ella, para santificarla... Así también los maridos deben amar a sus mujeres como a sus mismos cuerpos. El que ama a su mujer, a sí mismo se ama"* (Efesios 5:25-26, 28).

> **El verdadero sacerdote ama a su esposa y protege a sus hijos, guiándolos en el camino del Señor y dándose por ellos.**

■ **Jesús se ofreció en sacrificio**

En el Antiguo Testamento, el sumo sacerdote debía ofrecer continuamente sacrificios de animales por los pecados del pueblo; *"pero Cristo, habiendo ofrecido una vez para siempre un solo sacrificio por los pecados, se ha sentado a la diestra de Dios [...] porque con una sola ofrenda hizo perfectos para siempre a los santificados"* (Hebreos 10:12, 14). Hoy, ya no es necesario sacrificar animales. Por el contrario, todo sacerdote debe seguir el ejemplo de Cristo, ofreciendo sacrificios espirituales. Pedro enseñó este concepto muy bien: *"Vosotros también, como piedras vivas, sed edificados como casa espiritual y sacerdocio santo, para ofrecer sacrificios espirituales aceptables a Dios por medio de Jesucristo"* (1 Pedro 2:5).

Con esto entendemos que, si bien no se ofrecen más sacrificios de animales por los pecados, el sacerdote debe seguir ofreciendo *"...siempre a Dios, por medio de él, sacrificio de alabanza, es decir, fruto de labios que confiesan su nombre"* (Hebreos 13:15). Los sacrificios de animales terminaron cuando Cristo hizo el más grande de todos los sacrificios, muriendo por nuestros pecados. Sin embargo, Dios el Padre continúa recibiendo los sacrificios vivos y espirituales de Sus sacerdotes, que los entregamos en amor, santidad y servicio por nuestras familias y congregaciones. Teniendo revelación de esto, en su carta a los romanos Pablo escribió: *"Hermanos, os ruego... que presentéis vuestros cuerpos en sacrificio vivo, santo, agradable a Dios..."* (Romanos 12:1).

Todo sacerdote debe ofrecer sacrificios espirituales de alabanza, entrega personal y santidad.

■ Jesús tiene poder y autoridad

Necesitamos aprender de Jesús, quien después de vencer la tentación en el desierto *"volvió en el poder del Espíritu a Galilea"* (vea Lucas 4:14), para deshacer las obras del diablo. Hoy, los sacerdotes no saben ejercer poder y autoridad frente a la enfermedad, la crisis financiera, el divorcio, la rebeldía de los hijos, el miedo, la inseguridad, la delincuencia, la drogadicción, las opresiones espirituales, el pecado, las injusticias, etcétera.

Por Su relación íntima con el Padre celestial y a través de la oración, Jesús recibió revelación de que Él era el Cristo, el Ungido, Rey y Sacerdote en la tierra. Sin embargo, para experimentar esa revelación, tuvo que pagar por el rescate de la raza humana; y el precio fue Su sangre. Todo lo antes descrito le dio a Jesús el derecho a ejercer, como hombre, el poder y la autoridad de Dios. Por eso, la gente se maravillaba al verlo poner en práctica su autoridad, *"...y hablaban unos a otros, diciendo: ¿Qué palabra es esta, que con autoridad y poder manda a los espíritus inmundos, y salen?"* (Lucas 4:36).

En otra ocasión los discípulos de Jesús que aún no entendían por completo Su identidad y autoridad se preguntaron: *"... ¿Quién es éste, que aun a los vientos y a las aguas manda, y le obedecen?"* (Lucas 8:25). Incluso, varios de los que cuestionaban la autoridad de Jesús también querían Su poder. Por eso, dice la Escritura que, *"Toda la gente procuraba tocarle, porque poder salía de él y sanaba a todos"* (Lucas 6:19). Jesús ejercía poder y autoridad porque Él hacía la voluntad del Padre. Los sacerdotes de hoy también podemos

44

caminar en el mismo poder, porque Jesús nos lo dio y podemos usarlo en Su nombre.

> *Cuando ejercemos el sacerdocio de la misma forma que lo hacía Jesús, Su poder se manifiesta en y a través de nosotros.*

■ Jesús es cabeza de la iglesia

Muchos piensan que ser cabeza es dar órdenes o forzar a los demás a hacer su voluntad, por encima de todo. En realidad, eso es autoritarismo; y no es una política del Reino de Dios. Jesús fue puesto como cabeza de la iglesia, porque se dio por completo a ella; porque la ama, la santifica, la cuida, la protege, la lleva a conocer al Padre, y pronto volverá por ella. Los creyentes sabemos que, en Cristo tenemos salvación, liberación, sanidad, prosperidad, amor, perdón y fortaleza. Sabemos que Él no cambia, que Su palabra permanece para siempre; que Él es nuestro abogado, no un juez. Cristo es quien intercede ante el Padre por nosotros; Su amor es incondicional, y también es el ejemplo más certero de lo que significa ser cabeza.

Si los maridos pueden reconocer que Cristo es la cabeza de la iglesia, entonces alcanzarán a identificar su papel como cabeza de su familia. La Biblia establece que, *"El marido es cabeza de la mujer, así como Cristo es cabeza de la iglesia, la cual es su cuerpo, y él es su Salvador"* (Efesios 5:23). Los sacerdotes de hoy, debemos aprender a ser cabeza de nuestra familia y de la iglesia, según el modelo del sacerdocio de Cristo. Como Jesús está sujeto al Padre, asimismo el hombre debe sujetarse a Cristo, para que nuestras esposas e hijos se sujeten a nosotros. Se trata de un liderazgo basado en el amor y el servicio.

> *Como cabeza de familia, el hombre está llamado a presentar sacrificios espirituales a Dios por su esposa e hijos.*

ACTIVACIÓN

A medida que avanza en la lectura de este libro, notará que mi intención no es otra que impartirle el sentido de urgencia por asumir un sacerdocio santo. Quiero que sienta la demanda de Dios por un sacerdocio como el que Jesús nos modeló. Jesús asumió Su misión de venir a la tierra como hombre, despojándose de Sus atributos divinos, para cumplir Su propósito. Él mostró que es posible santificarnos, dedicarnos a la oración, amar a nuestra familia y darnos a ella en servicio. También es posible interceder, ejercer el poder y la autoridad de Dios en la tierra. Debemos presentarnos como sacrificio vivo ante el Padre, tal como Jesús lo hizo. Hoy, si usted siente que no ha estado viviendo el sacerdocio que Jesús nos modeló, entonces este llamado es para usted. Por favor, haga la misma oración conmigo.

"Señor Jesús, heme aquí. Hoy decido responder a Tu llamado y rendirme a Tus demandas de amor. Quiero ser un sacerdote que sigue Tus pisadas y que te imita en cada acción ¡Yo quiero ser como Tú! Hoy, tomo la decisión de dedicar más tiempo de calidad a estar en Tu presencia, en oración, para conocerte más, impregnarme de Ti y convertirme en un portador de Tu presencia. Tomo el compromiso de aprender a amar a mi esposa e hijos a Tu manera y a darme en servicio a ellos. Quiero ser ese esposo y padre que ama y cuida a su familia como Tú amas y cuidas a Tu iglesia. Seré cabeza a tu manera, intercediendo ante Dios por ellos y representando a mi familia ante el Padre. Sobre todo, me comprometo a vivir una vida de santidad, alejándome del pecado y de todo lo que me impida ser el sacerdote que Tú quieres levantar en mí. Por Tu gracia y Tu fuerza, seré un sacerdote del Nuevo Testamento, con poder y autoridad para deshacer las obras de Satanás. Oro en el poderoso nombre de Jesús. ¡Amén!

TESTIMONIOS

A continuación, compartiré una serie de testimonios acerca de lo que puede hacer la restauración del sacerdocio en un hogar, en los hijos y en la iglesia. Lo que leerá aquí puede suceder en usted, si decide ejercer el sacerdocio tal como Jesús lo modeló. ¡Éste es el tiempo de restauración de su sacerdocio!

Liliana era atea, pero cuando aprendió en nuestro ministerio acerca del sacerdocio en el hogar, el amor del Padre restauró su matrimonio:

"Mi vida era un completo desastre hasta que, gracias a esta casa, comencé a conocer a Dios. Tenía una relación muy atormentada con mi exesposo; tanto que yo le decía que solo un milagro haría que volviera con él. Como yo era atea, tenía la certeza de que eso nunca sucedería. Con la separación, mi esposo comenzó a alejarse de nuestro hijo, y eso me afectó mucho. Un día vine a esta iglesia trayendo a una amiga que había venido de España. Una vez en el templo, decidí quedarme a escuchar. Cuando oí al Apóstol Maldonado hablar, mi vida empezó a cambiar por completo. No sabía cómo, pero él me estaba hablando directamente a mí; ahí en medio de miles de personas. Si bien, todavía creía que nunca me reconciliaría con mi esposo, no quería que mi hijo creciera sin su padre y sin tener una figura sacerdotal en su vida.

"Así, con la intención de ayudar a que mi exesposo se acercara más a mi hijo, lo invité a un retiro de liberación organizado por la iglesia. Mientras lo estaban ministrando, yo le pedí a Dios que lo liberara y lo cambiara. Para mi sorpresa, Dios hizo todo lo contrario. Ese día, yo fui liberada de la falta de perdón; pude perdonar a mi exesposo, y juntos pudimos recuperar nuestra familia. Cristo restauró nuestro matrimonio; y ahora, mi hijo vive con su padre y su madre. Ambos servimos en la iglesia y él ha asumido el sacerdocio de mi casa, poniendo a Dios como nuestra prioridad. Somos anfitriones de una Casa de Paz y compartimos lo que Jesús, nuestro sumo sacerdote, hizo en nosotros. Su presencia ha traído amor, abundancia de paz y multiplicación a nuestras vidas. ¡Ahora, tenemos un segundo hijo y somos muy felices! ¡Gloria a Dios!"

El testimonio de Laudy también es impactante. Ella perdió la dirección de su vida a partir del abandono de su padre, hasta que el sacerdocio de Cristo vino y la restauró por completo:

"Cuando tenía quince años, mi papá se fue de casa, así que no supe lo que es tener una figura paterna. Tenía tanto rencor y amargura en mi corazón que busqué refugio en las drogas, y caí en diferentes áreas de pecado. Como consecuencia de una vida licenciosa, quedé embarazada y, como estaba tan llena de odio, decidí abortar a mi bebé. Eso fue terrible. Llegué a un punto en el que no podía más con mi vida y pensé en hacer un cambio. Entonces decidí volver a Dios. Ese día, mi vida cambió por completo. Nunca había experimentado Su amor como Padre; pero al sentirlo por primera vez, ese enorme vacío que sentía, desapareció. Su amor comenzó a quitar, capa por capa, todo el odio y la amargura que guardaba en mi interior, y me permitió conocer un verdadero ejemplo de sacerdocio. Comencé a restaurar la relación con mi familia, y a perdonarlos de verdad a cada uno por lo que me habían hecho; incluso, me perdoné a mí misma. Después de diez años sin hablar con mi padre natural, hoy tengo una relación saludable con él. Ahora, oramos juntos como familia, cumpliendo el plan original de Dios. ¡Jesús transformó mi vida y mis relaciones! Él ha cambiado por completo mi manera de ver el sacerdocio y me ayudó a desarrollar una relación de amor con mi padre natural. ¡Gloria a Dios porque Su amor transformó mi vida!"

Diego, un pastor en Argentina, da testimonio de que al entrar en contacto con la cabeza de este ministerio y conocer acerca del verdadero sacerdocio, Dios hizo una obra maravillosa en el suyo:

"Como pastor, durante años había seguido al apóstol Maldonado desde Argentina (Sudamérica), a través de internet. Mi sueño era ir un día a los Estados Unidos, conocerlo y tener un encuentro con el poder de Dios a través de su ministerio. Cuando Dios hizo mi sueño posible, comencé a experimentar un cambio en mí como sacerdote, tanto en mi familia como en la iglesia; al punto que empecé a dar del amor de Dios. Si bien esto no fue sencillo, pude ver Su fidelidad a través del proceso. El ejemplo del apóstol Maldonado fue la guía que necesitaba para levantar el sacerdocio en nuestra casa. Gracias a eso, nuestro ministerio comenzó a caminar bajo cielos abiertos. Hemos visto el amor de Dios y Su autoridad en tantas áreas de nuestra vida, incluso en las finanzas y la provisión. Por la gracia de Dios, pudimos comprar un edificio con capacidad para 2.500 personas, donde discipulamos líderes que avanzan el Reino. El ejemplo sacerdotal de nuestro padre espiritual nos ha llevado a impulsar nuestro sacerdocio. Cada vez que acudimos a las actividades del ministerio, recibimos algo diferente, podemos experimentar algo nuevo de Cristo y de Su sacerdocio. Llegamos a conocerlo más como Padre y sanador. Hoy soy feliz de saber que estoy preparado, como sacerdote y líder del pueblo que me ha confiado, para enfrentar los desafíos del futuro. ¡Gloria a Dios!"

4 | Responsabilidades del Sacerdote

E L SÉPTIMO MES de cada año, el pueblo hebreo solía reunirse en santa convocación a fin de ofrecer holocaustos a Dios para el perdón de sus pecados (vea Números 29:11). El sacerdote tenía un papel fundamental en esta ceremonia, pues era quien presentaba el sacrificio al Señor; que constaba de un macho cabrío, más la ofrenda de las expiaciones, por cada persona que quería que sus pecados y culpas del año le fueran borrados. Desde que el nuevo pacto fue establecido, ya no es necesario sacrificar más animales, pues el sacrificio de nuestro Sumo Sacerdote, el Cordero Santo, Jesucristo, fue hecho *"una vez y para siempre"* (vea Hebreos 10:12). Jesús con Su sangre nos redimió. Esto quiere decir que Él pagó el precio del rescate para librarnos de la esclavitud; y Su sacrificio fue mucho más grande que todos los holocaustos de animales del Antiguo Testamento.

En este capítulo quiero presentarle las responsabilidades esenciales del sacerdocio en el Nuevo Testamento. Como hemos visto en capítulos anteriores, un sacerdote es alguien que ofrece sacrificios espirituales a Dios y él mismo es un *"sacrificio vivo"* (Romanos 12:1). *"Porque todo sumo sacerdote tomado de entre los hombres es constituido a favor de los hombres en lo que a Dios se refiere, para que presente ofrendas y sacrificios por los pecados"* (Hebreos 5:1). Las principales responsabilidades del sacerdocio santo son ofrecer sacrificios espirituales, ser un portador de la presencia de Dios, enseñar las Escrituras, liderar y guiar, ser una voz profética del sonido de Dios, y gobernar en el Espíritu a través de la oración. Veamos en detalle cada una de estas responsabilidades.

1. Ofrecer sacrificios espirituales delante de Dios

Por Su muerte y resurrección, Jesús nos dio acceso al Padre, para presentar sacrificios espirituales a Dios por medio de nuestro gran Sumo Sacerdote. La Biblia nos llama a construir nuestra casa espiritual y a aprender a ofrecer sacrificios espirituales: *"Vosotros también, como piedras vivas, sed edificados como casa espiritual y sacerdocio santo, para ofrecer sacrificios espirituales aceptables a Dios por medio de Jesucristo"* (1 Pedro 2:5).

¿Qué es un sacrificio espiritual?

Definido de manera sencilla, un sacrifico espiritual es todo aquello que puede ser ofrecido a Dios y que nos acerca a Él. Los sacrificios espirituales más conocidos son: oración, adoración, ayuno, actos de justicia, ofrendas de dinero y de tiempo. Son un conjunto de herramientas que Jesús nos dejó para que, guiados por el Espíritu Santo, crezcamos en nuestra relación con Él, portemos Su presencia, conozcamos Su voluntad y nos empoderemos para cumplir Su propósito para nosotros aquí en la tierra. ¿Puede alguien ser sacerdote sin orar? Definitivamente no. Un sacerdote que no ora, no adora ni ofrece otros sacrificios espirituales, está abdicando su lugar en el reino de Dios. Debemos morir a los deseos de la carne y a la vanidad del mundo. Finalmente, todo sacerdote debe convertirse en un sacrificio vivo para Dios.

Una iglesia jamás crecerá por encima del nivel de su sacerdocio.

El nivel de ejercicio sacerdotal determinará el nivel de poder en una iglesia. Eso significa que, si los hombres no realizan sus funciones sacerdotales, no habrá actividad espiritual en sus hogares ni en sus iglesias. Si los hombres no funcionan como sacerdotes, su conexión con Dios se debilitará y su vida no fluirá. Si usted no está cumpliendo sus funciones sacerdotales es necesario hacer cambios urgentes. De lo contrario, su vida, su familia y su iglesia pueden estancarse. Por ejemplo, muchas veces se me acercan padres preocupados por sus hijos rebeldes, porque pueden perderse en las drogas, el alcohol, e incluso el crimen. Lo que los papás no entienden es que la raíz del mal comportamiento de sus hijos está en el hecho de que ellos, como padres, han fallado en ejercer el sacerdocio en sus hogares.

> *La función principal de un sacerdote del Nuevo*
> *Testamento, es ofrecer sacrificios, oración*
> *y adoración.*

2. Portar la presencia de Dios

Como vimos en capítulos anteriores, el sacerdocio de Melquisedec era una muestra de lo que sería el sacerdocio del Nuevo Testamento. Antes que el pueblo hebreo se estableciera en la Tierra Prometida, el santuario donde habitaba la presencia de Dios (el arca del pacto) debía ser trasladada cada vez que el pueblo se movía. Esa tarea solo podían realizarla los sacerdotes. (Vea, por ejemplo, Josué 3:17). Hoy, no necesitamos tener un arca física, porque la función sacerdotal puede alcanzar su plenitud cuando cada sacerdote se convierte en un portador de la presencia de Dios.

¿Qué debe hacer un sacerdote del Nuevo Testamento para portar la presencia de Dios? Lo primero que debemos entender es que, un sacerdote accede a la presencia de Dios a través de su continua vida de oración y adoración, que genera una relación íntima con Él. Con el tiempo, el sacerdote se hace uno con Dios en corazón y mente. Esto, lo lleva a vivir una vida de santidad y a evitar mezclar las cosas de la carne con las cosas del Espíritu.

Un portador de la presencia de Dios carga un legado espiritual, su voz está ungida y la misericordia de Dios lo sigue (vea Éxodo 33:18-19). El diablo odia cuando usted, como sacerdote, ora y adora, porque eso lo lleva a convertirse en un agente de cambio en el reino de Dios.

La oración forma la presencia de Dios en usted, mientras que la intimidad con Dios le ayuda a portar esa presencia a diario.

Pedro es un excelente ejemplo de un portador de la presencia de Dios. Donde quiera que él iba estaba tan lleno de la presencia que, aquellos que necesitaban sanidad, lo seguían para que la presencia pudiera caer sobre ellos. *"Sacaban los enfermos a las calles, y los ponían en camas y lechos, para que al pasar Pedro, a lo menos su sombra cayese sobre alguno de ellos, y aun de las ciudades vecinas muchos venían a Jerusalén, trayendo enfermos y atormentados de espíritus inmundos; y todos eran sanados"* (Hechos 5:15-16). Sin embargo, Pedro no era una excepción; él es la regla. Usted y yo también podemos portar la presencia de Dios, tal como lo hacía Pedro, porque el mismo Espíritu Santo y la misma presencia de Dios que reposaba en Pedro está disponible para quienes buscan a Dios de todo corazón.

Si usted sabe que ha sido llamado a una de las oficinas del ministerio quíntuple –apóstol, profeta, pastor, evangelista o maestro–, su vida de oración y sacrificios debe ser un ejemplo para su iglesia o ministerio. Si no porta la presencia de Dios, no podrá ejercer apropiadamente el ministerio al que ha sido llamado. Además, tendrá problemas llevando a otros a conocer a Cristo y a experimentar Su amor y poder.

3. Enseñar las Escrituras

Enseñar las Escrituras no es una tarea solo para el ministerio quíntuple, todos estamos llamados a enseñar a otros acerca de Jesucristo (vea 1 Pedro 2: 9), y de las verdades y principios de la Palabra de Dios. Debemos tener cuidado de no producir una generación que ignore las Escrituras. Los creyentes somos responsables de aprender acerca de Dios y Su Palabra, pero también de enseñar a otros lo que hemos aprendido. Dios no quiere que rechacemos Su conocimiento; Él quiere que vivamos por Su

Palabra: *"Por cuanto desechaste el conocimiento, yo te echaré del sacerdocio; y porque olvidaste la ley de tu Dios, también yo me olvidaré de tus hijos"* (Oseas 4: 6). Como sacerdotes, deberíamos estar capacitados para enseñar la Palabra de Dios a aquellos que están bajo nuestra autoridad.

Josías –dice la Biblia–, fue el último rey virtuoso de Israel. Comenzó a reinar cuando solo tenía ocho años. A la edad de doce, mientras su gente limpiaba Judá y Jerusalén de las imágenes de Asera y derribaba los altares de los Baales, entre los escombros encontraron el libro de la ley de Jehová que le había sido dada originalmente a Moisés. Entonces el joven rey ordenó a Israel seguir esas. Personalmente observó que se restaurara la enseñanza de la ley en toda la nación. Se aseguró que el templo y el sacerdocio fueran santificados y decretó que los levitas enseñaran las Escrituras al pueblo. (Vea, por ejemplo, 2 Crónicas 34:14; 35:3).

Josías mismo leyó las Escrituras al pueblo, y cuidó que Judá no se apartara de la ley del Señor todos los días de su reinado. *"Porque los labios del sacerdote han de guardar la sabiduría, y de su boca el pueblo buscará la ley; porque mensajero es de Jehová de los ejércitos"* (Malaquías 2:7).

4. Liderar y guiar

Hay grandes diferencias entre liderar y guiar al pueblo. Cuando un sacerdote lidera, señala el camino y va delante de la gente. Cuando guía, da consejo e instrucción acerca de lo que debemos hacer y hacia dónde debemos ir. Para ser un sacerdote efectivo, usted debe saber combinar el liderazgo con la guía espiritual. Para que un sacerdote guíe y lidere efectivamente, debe ser liderado y guiado por el Espíritu Santo, *"porque todos los que son guiados por el Espíritu de Dios, éstos son hijos de Dios"* (Romanos 8:14). Discernir la guía del Espíritu Santo es una de las marcas de un hijo maduro; y solo los hijos maduros son capaces de ejercer el sacerdocio al que han sido llamados.

Todo líder debe dar ejemplo, siendo el primero en sujetarse a la autoridad puesta por Dios.

El propósito de ser un ejemplo es que las personas puedan seguir su estilo de vida sacerdotal. La gente imitará lo que ve hacer a su sacerdote. Pablo nos animó a imitar a nuestros líderes sacerdotales: *"Sed imitadores de mí, así como yo de Cristo"* (1 Corintios 11:1). Aquí, el término "imitar" no significa ser una copia, sino más bien una réplica. ¿Cuál es la diferencia? Cuando "copiamos", básicamente estamos plagiando, presentando lo de otra persona como propio. Pero cuando replicamos, reproducimos la vida de esa persona, recibimos la revelación de los principios que él o ella nos enseñaron o demostraron, y los repetimos.

Lo que estoy enseñando aquí no es teoría; yo lo practico a diario. Imito lo que hace mi cobertura espiritual; y las personas que están bajo mi autoridad hacen lo mismo. Porque cuando alguien tiene la revelación de la importancia del sacerdocio, una consecuencia natural es que puede someterse fácilmente a la autoridad.

5. Ser una voz profética del sonido de Dios

La raíz de la adoración es profética y porta revelación.

El sacerdocio porta el sonido de la adoración a Dios. Cuando David trajo por segunda vez el arca de la presencia de Dios a Jerusalén, puso a los levitas a cargo de esa tarea. *"...Dijo David a los principales de los levitas, que designasen de sus hermanos a cantores con instrumentos de música, con salterios y arpas y címbalos, que resonasen y alzasen la voz con alegría. [...] Y Quenanías, principal de los levitas en la música, fue puesto para dirigir el canto, porque era entendido en ello"* (1 Crónicas 15:16, 22).

Lo mismo sucedió cuando David organizó a los ministros que servirían en el templo que construiría Salomón. De la tribu de

Leví separó *"...cuatro mil para alabar a Jehová, dijo David, con los instrumentos que he hecho para tributar alabanzas"* (1 Crónicas 23:5). *"Asimismo David y los jefes del ejército apartaron para el ministerio a los hijos de Asaf, de Hemán y de Jedutún, para que profetizasen con arpas, salterios y címbalos... [Este último] profetizaba con arpa, para aclamar y alabar a Jehová"* (1 Crónicas 25:1, 3).

Un sacerdote debe separarse para adorar a Dios.

A través de David entendemos que los músicos son sacerdotes, y que su función es profetizar, adorar y alabar a Dios con sus instrumentos. El sacerdocio de un músico consiste en conocer a Dios, tocar bien y dedicarse a Dios –en oración y conocimiento de la Escritura–, para profetizar con sus voces e instrumentos. Muchos adoradores necesitan esta revelación porque, aunque conocen su llamado, no saben ejercer el sacerdocio en la adoración. Si a todo sacerdote se le demanda santificación, la demanda para los ministros de alabanza y adoración es aún mayor. Los músicos y adoradores necesitan tener un corazón puro, para que así Dios derrame Su gloria por medio de ellos, en la adoración.

Entonces, ¿qué tipo de gente está tocando la música en nuestras iglesias? Hoy parece que el único requisito para subir a un altar es tener talento musical. En su mayoría, los músicos que están en una posición de sacerdocio tienen una vida de oración débil e inconstante o simplemente no la tienen. No conocen las Escrituras, no tienen idea de sus responsabilidades espirituales ni de la demanda de un sacerdocio santo. Esa es la razón por la cual no hay presencia de Dios en ciertas iglesias. Hay buen sonido, pero también hay mezclas del Espíritu y la carne, y la presencia de Dios no se manifiesta allí.

Sin la guía profética del Espíritu Santo, la adoración no portará el sonido del cielo.

En nuestro ministerio, los cantantes y músicos son entrenados y edificados en su sacerdocio espiritual para que suban al altar con pleno entendimiento de sus funciones y responsabilidades. Por ejemplo, los líderes de alabanza, cada vez que van a liderar un servicio, separan el día anterior para ayunar, orar y buscar revelación de lo que Dios hará. Así, al subir al altar portan la presencia de Dios y pueden desatar cánticos nuevos y proféticos que traen el sonido del cielo a nuestros servicios. Eso explica por qué, cuando hacemos el llamado para salvación, tanta gente acepta a Jesús; cuando ministramos milagros, mucha gente se sana; y cuando desatamos el poder de Dios tanta gente es liberada. Todo es producto de la atmósfera sobrenatural que fue creada durante la alabanza y la adoración.

La comercialización de la adoración

Hace un tiempo, estaba enseñando a la iglesia una serie llamada "El Poder de Hablar en Lenguas Espirituales". Durante la prédica, le pedí a uno de nuestros saxofonistas que tocara. Antes de empezar a tocar él oró en lenguas y luego, con su instrumento, desató el sonido del cielo. La presencia de Dios cayó inmediatamente. ¡Fue indescriptible! Todos en el servicio la sentimos; aun aquellos que nos siguen por internet en otros continentes, fueron impactados por la presencia de Dios que se manifestó a través de ese sacerdote músico. Esto solo puede ocurrir cuando un músico vive consagrado para Dios y tiene revelación de su función sacerdotal en la adoración.

La presencia de Dios está ausente en muchas iglesias porque la adoración se ha comercializado.

Cuando comercializamos la adoración, la "sustancia" sobrenatural en ella se disipa. Las canciones se vuelven egocéntricas y se relacionan más con la necesidad, la carne y las emociones. No son de Dios ni para Dios, sino para agradar a la gente, hacerse famosos y vender discos. Estas canciones no portan la gloria ni la presencia de Dios, y la mayoría de ellas suenan como una lista de peticiones personales: "Señor, bendíceme, tócame, dame, sáname". Hacen falta canciones que exalten la gloria de Dios, la sangre de Cristo, el poder de Su nombre, la obra terminada en la cruz, la fidelidad de la Palabra de Dios, la guía del Espíritu Santo, y las grandes obras, virtudes, gloria y majestad de Dios.

La corrupción de la adoración

Cuando adoramos sin rectitud en el corazón ofrecemos "fuego extraño" a Dios.

Cuando el sacerdocio que debe portar el sonido de la adoración a Dios no está recto en su corazón, lo único que puede ofrecer es "fuego extraño" (Levítico 10:1); y Dios rechaza el fuego extraño. Este tipo de adoración puede parecer como que proviene de Dios, usa las palabras y los sonidos adecuadas, e incluso la voz adecuada, pero no tiene la presencia de Dios porque procede de la carne y sólo alimenta la carne. En muchas iglesias, la adoración está contaminada, porque el sacerdocio está contaminado. Cualquiera puede subir al altar a orar, cantar o tocar un instrumento. Incluso, algunas iglesias permiten que suban al altar personas que ni siquiera han entregado su vida a Cristo. Contratan músicos no cristianos o que no pertenecen a sus congregaciones. Algunas de estas personas tocan en bares, miran pornografía o practican brujería, y al día siguiente, están tocando en la iglesia. En estos casos, el altar está manchado, y la presencia de Dios no está allí.

La adoración revela la actividad espiritual del corazón.

Si hay iniquidad en el corazón de los músicos-sacerdotes, ellos desatarán esto en la atmósfera a través de sus voces e instrumentos, y la contaminarán. Un corazón corrupto proyecta corrupción en la atmósfera, porque vive apartado de la santidad de Dios. Ése fue el pecado de Lucifer. Él ministraba la adoración en el cielo, y fue arrojado cuando se encontró iniquidad y perversión moral en su corazón. ¡Estaba lleno de mezclas! *"Perfecto eras en todos tus caminos desde el día que fuiste creado, hasta que se halló en ti maldad"* (Ezequiel 28:15).

Antes de asignar músicos y cantantes para servir en el altar, tenemos que preguntarnos: Estos músicos, ¿habrán sacrificado algo para Dios? Si realmente son sacerdotes de Dios, traerán Su presencia. ¡Esa es la prueba! Muchas veces, tenemos que confrontar a quienes no están alineados con los mandamientos y la voluntad de Dios, para que se santifiquen y sean restaurados. Pero si no se arrepienten, no se santifican, ni se dedican a la Palabra y a la oración, debemos reemplazarlos apropiadamente.

6. Gobernar en el espíritu a través de la oración

El sacerdote ofrece sacrificios a Dios; el rey gobierna de parte de Dios.

Dios está llamando a Su pueblo a ejercer el mismo sacerdocio que ejerció Jesús, *"según el orden de Melquisedec"* (Salmo 110:4). Como sacerdotes, tenemos que portar la presencia de Dios, enseñar la Palabra, liderar y guiar al pueblo. También debemos ser la voz profética que trae el sonido de Dios a la tierra. En su casa, el hombre es rey. Un rey sabe gobernar, tiene autoridad para establecer leyes, así como para decretar a través de la fe y la oración. Como rey, el hombre ha recibido autoridad de Dios para poner reglas; siempre y cuando esté sujeto a Cristo. A propósito, la Biblia nos muestra una galería de héroes de la fe; hombres y mujeres que ejercieron tan buen gobierno en el Espíritu, *"que por fe conquistaron reinos, hicieron justicia, alcanzaron promesas, taparon bocas de leones"* (Hebreos 11:33).

Gobernando en el Espíritu

Cuando Cristo ascendió, nos dejó como Sus representantes legales en la tierra; y éstas son las áreas sobre las que debemos ejercer gobierno espiritual:

- Nuestro propio espíritu (Proverbios 15:12)

- Nuestra casa (1 Timoteo 3:4)

- La casa de Dios (2 Timoteo 3:4-5)

- La gente que no se sujeta a la autoridad.

- El diablo y sus obras (1 Juan 3:8)

El ministerio apostólico del Nuevo Testamento equivale a la realeza del Antiguo Testamento. Por eso Dios ha puesto a ciertos líderes en Su iglesia: *"...a unos puso Dios en la iglesia, primeramente apóstoles, luego profetas, lo tercero maestros, luego los que hacen milagros, después los que sanan, los que ayudan, los que administran, los que tienen don de lenguas"* (1 Corintios 12:28).

El peso del gobierno de Dios es mayor sobre los apóstoles y profetas.

Personalmente puedo decir que, cuando la autoridad como sacerdote y rey viene sobre mí para decretar sobre naciones, gobiernos, y aún sobre la naturaleza, cosas asombrosas ocurren. Lo mismo puede sucederle a usted cuando opera bajo la autoridad de Dios. Por lo tanto, si usted es apóstol o un hombre de Dios, no intente mezclar las cosas de la carne con las del Espíritu. Tampoco puede hacer negocios con, ni ser parte de las actividades de gobierno alguno que quebrante la ley de Dios. Solo quienes gobiernan desde el ámbito espiritual serán la voz de Dios que advierta sobre los tiempos por venir, a fin de llevar a la gente al arrepentimiento. Los gobernantes en algún momento podrán necesitar su consejo, pero no podrán usarlo a usted ni a la iglesia de Cristo como parte de sus estrategias políticas y agendas ocultas.

Los apóstoles del tercer día -del Cristo resucitado- son gente capaz de decretar el juicio o el favor de Dios sobre una ciudad.

LA RESTAURACIÓN DEL SACERDOCIO

Adán fue la primera persona a la que Dios le dio dominio sobre la tierra. Al hacerlo, el Señor usó dos palabras: "señorear" y "sojuzgar". *"Dijo Dios: Hagamos al hombre a nuestra imagen, conforme a nuestra semejanza; y señoree en los peces del mar, en las aves de los cielos, en las bestias, en toda la tierra, y en todo animal que se arrastra sobre la tierra. [...] Y los bendijo Dios, y les dijo: Fructificad y multiplicaos; llenad la tierra, y sojuzgadla, y señoread en los peces del mar, en las aves de los cielos, y en todas las bestias que se mueven sobre la tierra"* (Génesis 1:26, 28).

Dios le dio a Adán poder y autoridad para señorear y sojuzgar sobre todo lo creado. Esto significa: ponerlo bajo sus pies, tomarlo por la fuerza y dominarlo. Pero cuando la serpiente entró al Jardín de Edén, Adán no hizo lo que debía. Se suponía que él liderara a su mujer y sojuzgara a la serpiente; pero no fue así. La palabra "sojuzgar" es un término militar que implica ejercer fuerza. Podemos sojuzgar la tierra y a los animales, pero no a otras personas. A la gente debemos liderarla o gobernarla con sabiduría. Podemos liderar a quienes se someten a la autoridad; pero es necesario gobernar cuando alguien no se sujeta a la misma.

Dios jamás quiso que nos enseñoreemos de la gente, pues contradice el principio del sacerdocio y el libre albedrío. Jesús no gobernaba a Sus discípulos; los lideraba con Su ejemplo y sabiduría. *"Entonces Jesús, llamándolos, dijo: Sabéis que los gobernantes de las naciones se enseñorean de ellas, y los que son grandes ejercen sobre ellas potestad. Mas entre vosotros no será así, sino que el que quiera hacerse grande entre vosotros será vuestro servidor, y el que quiera ser el primero entre vosotros será vuestro siervo"* (Mateo 20:25-27). Un líder sin Dios siempre tratará de subyugar y controlar; pero a su vez, la gente sin Dios no puede ser liderada, porque no se someten naturalmente a la autoridad.

Cómo gobernar en el Espíritu a través de la oración

Solo si la iglesia ora y ejerce su sacerdocio efectivamente, las leyes inmorales de un país pueden cambiar.

62

La oración es el lugar donde Dios puede cambiar leyes inmorales, anular decretos del gobierno y decisiones judiciales que son contrarias a Su Palabra. La justicia divina siempre estará por encima de cualquier ley humana. Por ejemplo, gracias al poder de la oración, algunos creyentes con problemas inmigratorios pueden ver cómo sus casos se resuelven sobrenaturalmente; una casa que iba a ser rematada puede ser recuperada; los bienes que estaban listos para ser embargados, son retornados; una condena judicial injusta es anulada; o cómo es liberado un evangelista que estaba preso en un país donde se prohíbe predicar el evangelio. Todas estas cosas pueden pasar porque estamos bajo el gobierno superior de Dios.

La oración es el lugar donde pueden suspenderse las leyes de la naturaleza.

En el libro de Daniel vemos cómo fueron interrumpidas las leyes de la naturaleza cuando, gracias la vida de oración del profeta, los leones no lo atacaron: *"...el rey mandó, y trajeron a Daniel, y le echaron en el foso de los leones. [...] Y acercándose al foso llamó a voces a Daniel con voz triste, y le dijo: Daniel, siervo del Dios viviente, el Dios tuyo, a quien tú continuamente sirves, ¿te ha podido librar de los leones? Entonces Daniel respondió al rey: Oh rey, vive para siempre. Mi Dios envió su ángel, el cual cerró la boca de los leones, para que no me hiciesen daño, porque ante él fui hallado inocente; y aun delante de ti, oh rey, yo no he hecho nada malo"* (Daniel 6:16, 20-22). Dios anuló el orden natural; y los leones que hubieran devorado al Profeta Daniel, ni siquiera lo tocaron.

Usted tiene poder y autoridad para atar y desatar, para prohibir y permitir; para declarar ilegal o legal, ilegítima o legítima cualquier cosa en la tierra, en el nombre de Jesús. Con esto les digo que tenemos el poder de declarar el destino que Dios tiene marcado para nosotros. Ni el diablo, ni el hombre, ni las circunstancias, ni ninguna otra cosa pueden detener ese destino. Jesús dijo: *"Y a ti te daré las llaves del reino de los cielos; y todo lo que atares en la tierra será atado en los cielos; y todo lo que desatares en la tierra será desatado en los cielos"* (Mateo 16:19).

Todo lo que declaremos legal en la tierra, Dios lo declarará legal en el cielo.

Reto a todos los sacerdotes a empezar a hacer guerra espiritual a través de la oración, desde una posición de reyes. Vivimos días intensos en la tierra. La naturaleza está alborotada, hay guerras en curso, enfermedades y dolencias propagándose, y el pecado y la iniquidad se han hecho tan comunes, aún en la iglesia. Estos días requieren que los sacerdotes y reyes tomen mayor autoridad sobre todas estas situaciones. ¿Qué hará usted? ¿Se levantará en oración o seguirá dormido espiritualmente? ¡Ore hasta que los muros de contención se rompan en el mundo espiritual! Solo entonces podrá ver las manifestaciones en el ámbito natural.

Lo que legitima al sacerdocio es su vida de oración. Si Jesús dijo que Su casa será llamada *"casa de oración"* (Mateo 21:13), no puede ser que el sacerdocio no ore. Tenemos que ser reyes y sacerdotes que vivamos continuamente en oración. Tenemos que entender que una de nuestras principales responsabilidades es orar. El Señor quiere darnos un nuevo nivel de autoridad, pero eso implica que el sacerdocio debe ser restaurado, retomando su vida de oración.

Jesús nos hizo reyes y sacerdotes para ejercer dominio, poder y autoridad sobre toda obra del enemigo.

Como sacerdotes, debemos estar preparados para hacer guerra contra todo poder demoniaco. Necesitamos aprender a gobernar con poder y autoridad en cada situación. Como sacerdotes del reino, Dios nos ha dado riquezas, milagros, provisión, casas, tierras y otras propiedades, pero, debemos ir y poseerlas en el espíritu, por la fuerza. Tenemos que destruir los planes del enemigo, y anular sus estrategias.

Podemos lograr rompimientos en todas las áreas si aprendemos a orar y gobernar con la autoridad que Dios nos ha dado.

ACTIVACIÓN

A medida que avanzamos en la revelación del sacerdocio del Nuevo Testamento, aumenta también la demanda del Espíritu Santo sobre usted, amado lector. Creo que no puede haber llegado a este punto sin sentir el desafío de tomar una decisión de cambio. Si reconoce que su sacerdocio no ha sido tan efectivo como debería, eleve sus estándares y empiece a ofrecer sacrificios espirituales a Dios. Si estaba dormido, es hora de comenzar a orar y buscar la presencia del Padre; si era preso de la ignorancia, el reto es salir de ella, pedir perdón y apartarse de todo lo que va en contra de su santificación y dedicación al sacerdocio. Esto traerá a su vez la bendición que le faltaba a su familia y congregación.

Si quiere traer la presencia de Dios a su hogar o ministerio, haga esta oración conmigo, en voz alta:

"Señor Jesús, te doy gracias por traer esta revelación a mi vida. Gracias porque, a pesar de mi necedad e ignorancia, has intercedido por mí ante el Padre para que no quede sin revelación del sacerdocio que me has delegado. Gracias por traer el conocimiento de los principios que se activan por medio de un buen sacerdocio. Te pido perdón por no haber estado ejerciendo mi sacerdocio en el hogar o el ministerio; te pido perdón por mi falta de temor, de diligencia, de obediencia y de conocimiento. Perdóname, Señor. Quita de mí todo lo que impide que me entregue al sacerdocio. Dame Tu poder para vencer y Tu gracia para hacer. Quiero convertirme en un portador de Tu presencia para que mi hogar se impregne de Ti y que, dondequiera que vaya, pueda manifestar Tu presencia. Quiero ofrecer sacrificios espirituales a diario para poder estar más cerca de Ti; quiero alabarte, adorarte, ofrecerte ayuno y oración de manera consistente; tiempo, servicio, actos de justicia, dinero y muerte a mí mismo para que Tú

puedas vivir en mí y a través de mí; para cumplir Tu voluntad por encima de la mía. Quiero capacitarme para enseñar las Escrituras a mis hijos y a quienes Tú traigas bajo mi liderazgo. ¡Dame pasión por Tu Palabra! Grábala en mi corazón para que yo pueda vivir en ella, para impartirla a otros como Palabra viva. Quiero aprender a ser líder y guía de mi familia; llevarla por Tu camino y voluntad, sin apartarnos ni a derecha ni a izquierda. En las situaciones de crisis, muéstrame el camino para que yo pueda mostrárselo a mi familia y ministerio. Quiero ser una voz profética de lo que Tú estás diciendo; dame la gracia para adorarte en espíritu y verdad, para llevar Tu presencia a más gente; para que las personas sean salvas, sanas, liberadas y empoderadas por Tu Santo Espíritu. Quiero aprender a gobernar en el mundo espiritual por medio de la oración. Quiero ser como Jesús, que vivía en obediencia al Padre; por eso, cuando hablaba, hasta la naturaleza le obedecía; fue Él quien inspiró a Sus discípulos y los empoderó para establecer el Reino. ¡Llévame Señor, a ejercer el sacerdocio completo! Oro todo esto en Tu nombre, Jesús. ¡Amén!"

TESTIMONIOS

Sarahí Acosta es una pastora de nuestro ministerio. Ella y su esposo pastorean una iglesia-hija en la ciudad de Fort Lauderdale, condado Broward, al sur de Florida (Estados Unidos). Allá llevaron una niña con una enfermedad incurable y éste es el testimonio.

"Una niña de tres años fue traída por sus padres a nuestra iglesia. Había sido diagnosticada con Pitiriasis rubra pilaris, una enfermedad muy rara que la dejó sin cejas ni pestañas, mientras su piel se descascaraba y sangraba constantemente. En Perú, su país de nacimiento, había sido examinada por muchos médicos, pero todos decían que no tenía cura, que debería estar en tratamiento el resto de su vida. Desesperada, la mamá viajó a Estados Unidos, buscando ayuda. Aquí fueron a muchos lugares, pero la respuesta fue la misma: no había una cura definitiva. Además, la medicina era muy cara y tenía que ponérsela a diario. Un día llegaron a nuestra iglesia, 'El Rey Jesús', en Broward, donde comenzamos a orar por ella. Los padres aprendieron a orar y a decretar con autoridad sacerdotal salud para su hija. Poco a poco, su piel se fue restaurando y dejó de tomar medicinas. Entonces, le comenzaron a crecer las pestañas y las cejas. Finalmente, toda su piel fue sanada, y quedó como si nunca hubiera estado enferma. Ahora la niña lleva una vida normal. ¡Éste es un testimonio vivo del poder de la oración, y de que tenemos un Cristo vivo, lleno de poder!"

BELÉN LOSA ES SALMISTA en nuestro ministerio y carga una voz profética. Ella ejerce el sacerdocio espiritual adorando en el altar, tanto en nuestra iglesia como en las naciones. Éste es su testimonio:

"Doy gracias a Dios por mi padre espiritual, por cómo él nos ha instruido y guiado a ir a otros niveles en la adoración. Nos ha enseñado a construir la atmósfera desde la que Dios quiere hablar, y cómo llevar la carga profética en la adoración. Tomar conciencia del sacerdocio en la adoración, y ejercerlo, me ha llevado a ver resultados notorios y efectivos.

"Cuando entendí que el sacerdote es quien ofrece sacrificios a Dios por sí mismo y por el pueblo, me cayó un temor de Dios y sentí la responsabilidad de prepararme para ser ese canal limpio que Dios pueda usar para conducir a otros a Su presencia. Entendí también que el sacerdote en la música ejerce como rey; declara lo que escucha en el espíritu, decreta, legisla y no se limita solo a cantar, si no que ve en el espíritu y actúa. Cada vez que tengo que liderar la alabanza y la adoración siento que una carga profética viene sobre mí y, desde el principio de la semana, comienzo a prepararme en oración y adoración, nutriéndome con la Palabra de Dios. Cuando uno viene desde ese lugar, es más sencillo ver, escuchar y percibir en el espíritu; entonces, lo que cantamos y tocamos en el altar provoca cambios en la atmósfera y en las personas. Ese sonido tiene la vida de Dios y produce un poderoso movimiento en el ámbito espiritual.

"Acompañando al apóstol en sus viajes, he confrontado diferentes ambientes y atmósferas. Dependiendo del país, hay atmósferas de incredulidad, dureza espiritual y brujería; todas muy fuertes, las cuales solo han podido romperse con adoración profética. Cada vez que vamos a un país a ministrar, junto a nuestro padre espiritual, tomamos la carga profética y buscamos a Dios como equipo, en oración, intercesión y adoración. Gracias a esto, hemos visto infinidad de milagros, salvaciones, liberaciones y vidas transformadas por el poder de Dios".

MIS PROPIOS TESTIMONIOS

Gobernando sobre la naturaleza

EN SEPTIEMBRE DE 2017, el huracán Irma se acercaba a las costas de Florida, Estados Unidos, con fuerza de categoría 5 –el nivel más alto de destrucción que producen los vientos huracanados, según la escala Saffir-Simpson–. Sus vientos máximos eran de 185 mph –casi 300 kph–. Llegó a ser considerada la tormenta más poderosa del Atlántico. Este huracán amenazaba atravesar Miami de Sur a Norte y causar estragos en sus más de tres millones de habitantes. Tanto las autoridades como los medios de comunicación lo daban por hecho. Había orden de evacuación en casi todos los condados.

Al ver la situación, activé a todo nuestro ministerio en oración. Varios amigos alrededor del mundo también se nos unieron. Durante una última reunión con los empleados del ministerio, tomé autoridad en el espíritu y declaré en el nombre de Jesús que el huracán cambiaría de dirección y se debilitaría. Y así fue. Al tocar Cuba, en lugar de seguir rumbo Norte, como estaba pronosticado, se movió al Oeste, hacia el Golfo de México. Cuando finalmente se orientó al Norte, pasó lejos de Miami, con vientos de solo 115 mph (185 kph) –categoría 3–. Finalmente, se convirtió en tormenta tropical y se debilitó hasta disiparse por completo. ¡Dios contestó la oración y nos libró de lo que hubiera sido una tragedia histórica!

RESPONSABILIDADES DEL SACERDOTE

Decretando sobre las naciones

Estuve en Etiopía hace poco, en una región llamada Addis Ababa. Fuimos a llevar el poder sobrenatural de Dios y a empoderar al cuerpo de Cristo en esa nación. En ese tiempo, el país estaba pasando por un momento difícil en el gobierno, y el Señor me dio una palabra profética para ellos, en la que decía: *"Etiopía, yo levantaré un nuevo gobierno para hacer Mi voluntad y bendecir a Mi pueblo. En los próximos años, verán dos gobiernos diferentes, y de entre ellos, levantaré un cristiano. Etiopía, tú eres Mi pueblo; has sufrido mucho, pero Yo he oído tu clamor. Haré algo en tu economía. Ya no se dirá de ti que eres uno de los países más pobres del mundo, porque traeré prosperidad sobre esta nación. La señal de esto será que levantaré líderes jóvenes, del vino nuevo, que estarán en fuego por Mi Espíritu y Mi presencia".*

Durante este viaje, el apóstol Tamrak, de Etiopía, me presentó a uno de sus hijos espirituales, un joven político quien se estaba postulando para la presidencia. El Espíritu Santo me mostró que él era un hombre clave para su país, y yo le di una palabra profética. El 2 de abril de 2018, este joven, el Dr. Abiy Ahmed, juró como Primer Ministro de Etiopía. En su discurso de asunción al poder, dijo que la transición era el comienzo de una nueva era política para su país, que está llamado a convertirse en la primera economía del este de África.

5 | Un Llamado a la Santidad

L A PRIMERA SEÑAL que debe distinguir al sacerdocio del último tiempo es la santidad. Hoy, ya no oímos hablar con frecuencia de la santidad, ni siquiera en las iglesias. Aunque la santidad es alcanzable, no es algo que podamos lograr fácilmente; por eso la búsqueda de la santidad ha sido abandonada por muchas iglesias. A quienes sí hablan de santidad, a menudo los rechazan y tildan de fanáticos religiosos. No obstante, la Biblia afirma categóricamente que *"no nos ha llamado Dios a inmundicia, sino a santificación"* (1 Tesalonicenses 4:7) y nos urge a perseguir dos cosas: *"la paz con todos, y la santidad, sin la cual nadie verá al Señor"* (Hebreos 12:14).

¿Qué significa ser "santo"? No significa que seamos perfectos o que nunca más pequemos. Significa que estamos consagrados y separados para el uso exclusivo de Dios; somos limpiados y purificados para permanecer sin mancha ni arruga. La santidad es la evidencia de haber sido lavado y limpiado por el sacrificio de Jesús y por la Palabra de Dios, a través del ministerio del Espíritu Santo. Esto atestigua de la "higiene espiritual" del creyente. Es un estado de pureza e inocencia constante; es estar libre de mezclas, impurezas y contaminación. Como escribió Pablo, *"El mismo Dios de paz os santifique por completo; y todo vuestro ser, espíritu, alma y cuerpo, sea guardado irreprensible para la venida de nuestro Señor Jesucristo"* (1 Tesalonicenses 5:23).

La Biblia compara la santidad de la iglesia en relación a Cristo con la santidad que debería nutrirse y conservarse en la relación matrimonial:

"Maridos, amad a vuestras mujeres, así como Cristo amó a la iglesia, y se entregó a sí mismo por ella, para santificarla, habiéndola purificado en el lavamiento del agua por la palabra, a fin de presentársela a sí mismo, una iglesia gloriosa, que no tuviese mancha ni arruga ni cosa semejante, sino que fuese santa y sin mancha" (Efesios 5:25-27).

Agentes de la santidad

La santidad es algo que necesitamos buscar. Esto quiere decir que todos debemos tomar la iniciativa de santificarnos, aunque la santidad no es algo que podamos lograr por méritos propios o alcanzar en nuestras fuerzas. En nuestra naturaleza caída no está la capacidad de ser santos; pero, Dios que es santo, nos provee de tres agentes que producen la santidad en nuestro ser:

■ La Palabra

Cuando recibimos la salvación, somos removidos del círculo de pecado, y Dios nos da vida nueva y eterna. Nuestras vidas completas deben reflejar la santidad de nuestros espíritus renovados. Somos santificados por la Palabra de Dios, la cual le da vida a todo lo que estaba muerto por causa del pecado. Por esa razón, no podemos rechazar la Palabra, porque corremos el riesgo de no ser limpiados. Es importante meditar en la palabra de Dios en todo tiempo. Asimismo, es importante que no abandonemos los mandamientos y consejos que en ella están escritos. Sabiendo esto, el salmista decía: *"¿Con qué limpiará el joven su camino? Con guardar tu palabra. Con todo mi corazón te he buscado; no me dejes desviarme de tus mandamientos. En mi corazón he guardado tus dichos, para no pecar contra ti. Bendito tú, oh Jehová; enséñame tus estatutos"* (Salmos 119:9-12).

■ La Sangre de Cristo

La sangre del Cordero sin mancha y sin contaminación, que es Cristo Jesús, nos limpia de todo pecado. Ninguna obra que hagamos puede librarnos de la culpa del pecado, *"pero si andamos en luz, como él está en luz, tenemos comunión unos con otros, y la sangre de Jesucristo su Hijo nos limpia de todo pecado"* (1 Juan 1:7). Esto quiere decir que la sangre nos limpia cuando nos arrepentimos y confesamos nuestros pecados, aplicando la obra de Cristo en la cruz a nuestra vida.

La sangre nos limpia de pecado y la Palabra nos limpia de corrupción.

■ El Espíritu Santo

El Espíritu Santo enviado a nosotros por el Padre, es quien nos purifica. La purificación se simboliza por estos elementos con los cuales se identifica al Espíritu: agua, fuego y viento. Él limpia todas las impurezas que hay en nuestra vida; Él arranca la iniquidad que viene a través de nuestra línea sanguínea y Él nos libera de toda atadura espiritual que nos lleva a pecar.

En el transcurso de nuestra vida diaria, somos expuestos a muchas personas, situaciones y lugares diferentes, y si no estamos atentos, puede entrar contaminación a nuestras vidas a través de nuestros sentidos y emociones. Esa contaminación puede llenarnos de amargura, falsas doctrinas e inmoralidad. De ahí que necesitamos la limpieza continua que nos brindan esos tres agentes que Dios ha provisto para nosotros: la Palabra, la sangre de Cristo, y el Espíritu Santo.

Etapas de consagración y separación

Hay tres etapas que debemos recorrer para alcanzar nuestra consagración total a Dios. Estas no pueden pasarse al mismo tiempo, porque el proceso requiere revelación, el negarse a sí mismo, rendirse a Dios y madurez. Las etapas son:

■ La separación de todo lo que no nos conviene

Lo primero que Dios hace, cuando quiere consagrarnos exclusivamente para Él, es alejarnos del mundo, la carne, las relaciones no saludables y otras influencias negativas, ataduras del alma, y ambientes que no nos convienen. Es decir, Dios nos separa de las cosas que contaminan nuestra alma o mente; por ejemplo, de la música mundana que infunde depresión o insta al pecado y la violencia; de falsas ideologías y culturas y cualquier otra cosa que nos aparte de Él. Nos aleja de los deseos de la carne que contaminan nuestro cuerpo, por ejemplo, de la inmoralidad sexual. Nos aleja de relaciones que nos separan de Él, por ejemplo, de amistades que no quieren rendir sus vidas a Cristo, e incluso de amistades cristianas que no quieren comprometerse con Dios y Su Reino.

También nos separa de otras cosas y apegos como, por ejemplo, un hobby que nos quita el tiempo que Dios quiere que le dediquemos. Rompe ataduras del alma que son dañinas; por ejemplo, si tenemos falta de perdón de relaciones pasadas, eso impedirá que nos rindamos totalmente a Cristo. Finalmente, Dios nos separa de lugares tóxicos; por ejemplo, de trabajar en negocios que usan prácticas ilegales o mienten para obtener grandes ganancias. Él podría hacer incluso que nos mudemos a otra ciudad o país para llevarnos donde nuestro llamado se desarrollará o manifestará. Por todo esto, es importante estar atentos a las demandas de Dios y no resistirlas. Todo lo que Dios quite de nuestra vida será con el propósito de acercarnos a Él y cumplir Su voluntad, que siempre es buena, agradable y perfecta (vea Romanos 12:2).

Cuando Dios nos quiere para Él, nos separa de todo lo que nos aleja de Él.

■ La consagración a Dios

Consagrarnos es dedicarnos en espíritu, alma y cuerpo; con un compromiso total y absoluto, a algo o alguien. Antes hablé sobre cómo los levitas del Antiguo Testamento fueron consagrados. Ellos llevaban una vida totalmente diferente a la del resto del pueblo. Dios no les asignó tierras, sino que cada tribu les daba ciudades de sus territorios, porque la herencia de los levitas era el Señor y Su presencia. Los levitas tampoco se dedicaban a multiplicar su ganado o sembradíos, sino únicamente a ministrar al Señor en el altar, alabando a Dios con sus instrumentos, estudiando las Escrituras y enseñándolas al pueblo, cuidando las puertas del templo, y recibiendo al pueblo para representarlo ante Dios, entre otras importantes funciones.

Nuestra consagración a Dios debe estar alineada con el llamado que tenemos. Si hemos sido llamados a uno de los cinco ministerios de Efesios 4:11, nuestra dedicación será a tiempo completo y llegará el momento en que la iglesia nos sostendrá económicamente. Si tenemos apego a cosas, posesiones, personas o actividades que nos alejan de Dios, nuestra consagración no podrá ser total. Dios demanda consagración y entrega total; así como Él se dio a Sí mismo a nosotros, en la persona de Jesús.

> *Consagrarnos es dedicarnos por completo a cumplir el propósito y llamado de Dios.*

■ La consagración a un propósito y llamado

La consagración a un propósito es la dedicación total y absoluta a aquello que Dios nos ha llamado a hacer. Esa dedicación, en santidad y total compromiso, es lo que nos llevará a ver realizada la pasión que Dios puso en nuestro corazón. Por ejemplo, yo fui llamado a traer el poder sobrenatural de Dios a esta generación, y desde el día que recibí esa revelación, me he dedicado por entero a cumplirla; me he santificado, separado y consagrado a cumplir ese propósito.

Todo lo que hago tiene que ver con ese llamado. Oro, ayuno, estudio la Palabra, y busco revelación fresca del Espíritu Santo; corro riesgos de todo tipo por el bien del Reino, dejo que cada día la sangre, la Palabra y el Espíritu me limpien y purifiquen; entreno gente en base a la visión que Dios me ha dado, para que lleven poder sobrenatural a más gente, más ciudades y más naciones; grabo mis enseñanzas y prédicas para que otros las escuchen, escribo libros, compongo canciones, grabo programas de televisión y radio, y mucho más. En todo lo que hago, manifiesto el poder sobrenatural de Dios que salva, sana, hace milagros, transforma vidas, resucita muertos, libera al cautivo, y establece Su reino en la tierra. Vivo consagrado al propósito que Dios depositó en mí y lo cumplo a Su manera, no a la mía.

> ### *El peso de la presencia de Dios en una persona viene de su consagración.*

Si se consagra al propósito de Dios, usted provocará cambios en la gente, las ciudades y países. Quien no se limpia y consagra por completo, jamás llegará a cumplir su llamado; y lo que haga siempre estará contaminado con aquello de lo cual no se ha limpiado. Así se producen las mezclas de espíritus que resultan perjudiciales en la iglesia. Lamentablemente, esta generación está tomando livianamente lo que Dios hace; por eso, si usted forma parte del remanente, su consagración es imperativa y cada vez mayor. Solo así se podrá manifestar que camina con Dios y tiene una relación con Él, y que no toma livianamente Su obra.

La línea de la santidad

Hoy por hoy, es difícil reconocer la diferencia entre los cristianos y los inconversos, porque la línea que debería separarlos –la de la santidad– es cada vez más delgada. La iglesia, en sus ansias de ser aceptada por la sociedad moderna, ha resignado valores, relajado la moral, ignorado la demanda de santidad y bajado el estándar de separación y consagración. Yo sigo creyendo y predicando que debe haber una línea clara que divida al inconverso del creyente, que marque la diferencia entre la santidad y la pecaminosidad. Alguien que no se ha separado para Dios es igual al resto; no puede ser luz para el mundo, ni puede representar a Cristo.

La línea de la santidad diferencia al creyente consagrado del nominal; la luz de los consagrados brilla en medio de la oscuridad.

La marca del remanente es la santidad

El carácter de Dios tiene muchas cualidades maravillosas, pero Su marca primordial es la santidad. Él es santo. Dios no puede ser comparado con nadie más. ¡Nadie es como Él! Nuestro Dios es diferente de todos los dioses. Él está completamente en otra categoría. *"¿Quién como tú, oh Jehová, entre los dioses? ¿Quién como tú, magnífico en santidad, terrible en maravillosas hazañas, hacedor de prodigios?"* (Éxodo 15:11). La cualidad principal que hace diferente a Dios es la santidad.

En la actualidad hay dos tipos de iglesias creciendo a la par: una con intereses naturales, que se adapta a las demandas y caprichos de quienes están decidiendo a qué iglesia asistir; y la otra, que es la iglesia santa y sobrenatural, la iglesia de Cristo. La primera no ha sido transformada; todavía lleva puestas las vestiduras de pecado, y para crecer no le importa comprometer la verdad ni la santidad, con tal de mantener contenta a la membresía y no desbalancear su presupuesto. La iglesia santa vive en transformación espiritual constante, camina de gloria en gloria y siempre busca vivir separada, santificada y consagrada para Dios; además, su crecimiento está ligado a la segunda venida del Señor.

La iglesia se transforma cuando se convierte en la novia de Cristo, por medio de la santidad.

Palabra Final para el Remanente

Si Dios es santo, la iglesia debe ser santa. No podemos poner a la iglesia en la misma categoría que cualquier otra cosa en el mundo, porque si lo hiciéramos no podría ser santa (vea Efesios 5:26-31). La iglesia es el cuerpo de Cristo; le pertenece a Él. Jesús es la manifestación de *"toda la plenitud de la Deidad"* (Colosenses 2:9). Si alguien niega que Jesús es hombre, así como es Dios, esto procede del espíritu del anticristo. (Vea, por ejemplo, 1 Juan 4:2; 2 Juan 1:7). Jesús es nuestro ejemplo de lo que debemos ser. Así que, *"Como aquel que os llamó es santo, sed también vosotros santos en toda vuestra manera de vivir; porque escrito está: Sed santos, porque yo soy santo"* (1 Pedro 1:15-16).

Dios nos llama a formar parte del remanente sacerdotal santo. Todo aquel que es de Cristo debe apartarse de las cosas, personas y circunstancias que lo alejan de Dios, para consagrarse a Él por completo. Jesús está llamando a la iglesia, corporativamente, a retomar su función sacerdotal. Esto incluye la separación y consagración a una vida justa y en santidad. La iglesia pura, limpia, sin mancha y sin arruga, es la que se llevará en Su segunda venida. Por eso, la línea que separa al creyente del resto del mundo debe ser radical. La Escritura lo delinea de esta manera: *"el que es injusto, sea injusto todavía; y el que es inmundo, sea inmundo todavía; y el que es justo, practique la justicia todavía; y el que es santo, santifíquese todavía"* (Apocalipsis 22:11). ¡Dediquémonos a ser santos para el tiempo de Su venida!

Cuando la gente resiste el cambio, empeora; ése es el juicio de Dios.

ACTIVACIÓN:

Quise dejar este capítulo para el final, porque siento que se ha intensificado la demanda que Cristo está poniendo sobre Su iglesia en los últimos tiempos. La siento muy fuerte en mi espíritu, y creo que es la única manera de estar listos para enfrentar los tiempos que vienen; también, para discernir la venida del Señor. El sacerdocio es clave en la preparación de la iglesia para el retorno de nuestro salvador. Si usted ama a Dios y quiere hacer lo que le corresponde, como parte del remanente que está velando por la venida del Rey de reyes, debe santificarse y consagrarse para Dios. Únase a mí y a otros miles de sacerdotes que ahora mismo están leyendo este libro, y oremos juntos:

"Amado Padre celestial, a través de estas páginas, he recibido en mi corazón la demanda del Espíritu Santo para ser el sacerdote que Tú necesitas que sea en estos tiempos que vivimos. No quiero permanecer al margen, adormecido, entretenido con el mundo o satisfaciendo los deseos de la carne. Quiero separarme de todo lo que me aleja de Ti y consagrarme definitivamente a Ti y al propósito que le diste a mi vida. Quiero cruzar la línea que me lleva a la santidad, y permitir que Tu sangre, Tu Palabra y Tu Espíritu me limpien de todo pecado, de toda impureza, de todo deseo torcido y de toda distracción. Quiero dedicarme a Ti, quiero que puedas contar conmigo, con mi oración, con mis sacrificios espirituales, adoración, ofrendas, actos de justicia, y todo lo demás que Jesús nos mostró. Límpiame, lávame, purifícame en Tu presencia. Sepárame para Tu uso exclusivo. Lléname de Tu Espíritu y poder, y activa mi sacerdocio. Llévame a ser un portador de Tu presencia, a manifestar Tu poder y amor a este mundo, y a ser un agente de cambio para mi familia, y para todos los que están a mi alrededor. ¡Heme aquí! Respondo a este llamado de santidad y decido consagrarme a Ti, por Tu gracia. Oro en el nombre de Jesús. ¡Amén!"

TESTIMONIOS

El pastor Josué Salcedo, de nuestra iglesia en Miami (EE. UU.), tiene un poderoso testimonio de cómo, a lo largo de ocho años, fue consagrándose más y más a Dios, y cómo esto lo ha llevado a convertirse en un apasionado por Su presencia y por ser ese sacerdote que Jesús quiere que todos los hombres seamos:

"Fui criado en la iglesia, pero era una iglesia sin poder. Crecí sabiendo que debía ir a la escuela dominical; pero llegó un momento en que comencé a rebelarme y a querer conocer el mundo. Por siete años de mi vida estuve en el mundo, envuelto en pandillas, buscando dinero, en clubes, fiestas, bebida y relaciones ilícitas. Nunca había tenido un encuentro con Dios, así que decidí buscar respuestas en otras opciones. Mi padre había comenzado a asistir a El Rey Jesús y, un día, me invitó a un retiro de liberación. Una vez allí, el pastor que predicaba me dio palabra de ciencia y me habló de cosas que solo yo sabía. Comencé a llorar y tuve un encuentro con Dios. En el pasado, mientras crecía yendo a una iglesia, siempre batallé entre hacer las cosas de Dios o perderme en el pecado y el mundo. Hubo tiempos en que tenía encuentros con Dios y estaba en fuego para Él, pero esa impartición y llenura solo duraba un momento y luego se iba. Fue así hasta que decidí disciplinarme y consagrarme.

"Cuando tomé la decisión de conocer a Dios, pude ver los cambios en mi vida. Dios me dijo que tenía que disponerme para Él y que, aunque me equivocara o arruinara las cosas, tenía que llegar a la iglesia; aunque estuviera cansado o no quisiera ir, debía ir. Entonces vi que, cuanto más le daba a Dios, cuanto más sacrificaba de mí mismo, más crecía mi pasión por Él. Ya no era algo que venía y se iba; ahora era una pasión permanente. Desde entonces, me volví osado para evangelizar en todo lugar que iba. He predicado en aviones, buses, juegos de básquetbol, escuelas, conciertos y eventos públicos. Levanté una Casa de Paz,[1] donde llegaban hasta sesenta personas por semana. A medida que me consagraba a Dios, dejé que Él me moldeara como un sacerdote de Su Reino; y que moldeara mi carácter para sujetarme a la autoridad. Cada vez que tengo un encuentro con Dios, cambio, me apasiono más por Él y esa pasión me lleva a servirlo más. Mi vida fue transformada por la santificación y la consagración a Dios. Hoy soy un pastor ordenado y Dios me usa para ministrar milagros, liberación y para predicar el evangelio dondequiera que voy. Además, entreno y discipulo a muchas personas para llevarlas a consagrarse a Dios y ser transformadas, tal como lo fui yo".

---

1 Grupo pequeño que se reúne en una casa para ser enseñado en la Palabra y recibir el poder de Dios.

El testimonio de Manny, un joven que decidió consagrar su negocio a Dios, muestra el poder de una ofrenda fuera de lo común y en respuesta vio un milagro sobrenatural en sus finanzas:

"Vine porque un amigo me trajo a esta iglesia. Ese día estaban hablando de CAP (la Conferencia Apostólica y Profética, que realiza cada año El Rey Jesús). En ese tiempo, yo estaba abriendo un negocio, y sentí de Dios que debía estar en esa conferencia. La verdad es que esta iglesia es sobrenatural. Cuando fui a CAP, vi cosas que nunca había visto antes. Nada era normal para mí. Los apóstoles y pastores decían que Dios les había dicho que sembraran en grande. Y yo oré a Dios: 'Si eres Tú, confírmamelo en mi espíritu'. Y Él me respondió: 'Hijo, si él está torciendo mi Palabra yo trataré con él, pero tú sé obediente y siembra'. Así que, di la mayor ofrenda que jamás hubiera dado en una iglesia. No lo hice por mi propia voluntad, sino por obediencia a Dios. Mi negocio recién comenzaba, y ese primer día de CAP batimos récord de ventas; el segundo día de CAP, volvimos a romper el récord de ventas; y aún el tercer día de CAP, rompimos otro récord de ventas. Al salir de CAP, recibí un e-mail diciendo que mi negocio estaba en segundo lugar en ventas, entre los negocios que habían abierto esa semana. Y yo dije: 'Dios, somos número dos, pero se supone que tu pueblo sea ¡número uno!' ¡En ese mismo instante recibí otro e-mail diciéndome que éramos el número uno! ¡Mi negocio es el número uno en ventas entre todos los que abrieron aquel día!"

El pastor Daniel Tomás, de Argentina (Sudamérica), tiene un poderoso testimonio de lo que es entrar bajo la cobertura de un sacerdocio consagrado a Dios y de cómo eso afectó su propio sacerdocio y el de su iglesia:

"Mi nombre es Daniel Tomás, y soy pastor de una iglesia en San Carlos de Bariloche, al Sur de Argentina. Nuestra congregación era de unas doscientas personas, había una linda manifestación de Dios, pero estábamos buscando algo mayor. Creíamos que había algo más del Señor que nos estaba faltando. Un día, llegó a nuestras manos el libro 'Cómo caminar en el poder sobrenatural de Dios', escrito por el Apóstol Guillermo Maldonado; y ese libro nos revolucionó. El sacerdocio de nuestra iglesia despertó y comenzamos a buscar más de Dios en oración. Yo comencé a seguir al apóstol Maldonado a través de internet, y al ver el nivel de milagros que Dios hacía, quise tener eso. Viajé a Estados Unidos y me entrevisté con el apóstol para pedirle la cobertura espiritual. Él fue muy gentil conmigo y pudimos comenzar los trámites para obtener la cobertura. Ese proceso duró seis meses; pero al momento en que entramos bajo la cobertura espiritual de El Rey Jesús, y la paternidad espiritual del apóstol, el poder de Dios aumentó en nuestra iglesia. Rápido, nuestra membresía pasó de doscientas a seiscientas personas.

"Los milagros son algo descomunal y han revolucionado el barrio y la ciudad; pero lo que más me conmueve es cómo mi sacerdocio y el sacerdocio del pueblo se han despertado. La gente comenzó a consagrarse y dedicarse más a Dios; empezamos a movernos en una dimensión de gloria diferente. Con el crecimiento de nuestro sacerdocio (a través de la revelación contenida en los libros del apóstol, sus prédicas e impartición) vino una mayor dimensión de milagros, de crecimiento y expansión.

"Pasamos de ser una iglesia normal a ser una iglesia encendida en el fuego del Señor. La gente se había acostumbrado a los servicios, las prédicas, la liturgia, la música; y estábamos estancados. Pero al entrar bajo la cobertura de una casa donde el sacerdocio funciona a un nivel muy alto, la iglesia se activó; los jóvenes salieron a la calle a predicar, a orar por la gente, y a ver milagros instantáneos. Comenzó una dinámica diferente de servicio y compromiso. ¡Esa fue la clave!

"Ahora, la gente tiene una disposición diferente para servir y consagrarse al Señor. La iglesia está comprometida con la visión y el crecimiento; todos estamos bajo la visión de expansión. A veces, los pastores cometemos el error de creer que ya llegamos, que tenemos todo y no necesitamos extendernos. Entonces, nos conformamos. Sin embargo, creo que la clave está en consagrarse a Dios y, cuando lo hacemos, Él nos muestra que hay mucho más de Su poder que no hemos visto".

Acerca del Autor

ACTIVO EN EL MINISTERIO por más de veinte años, el Apóstol Guillermo Maldonado es el fundador del Ministerio Internacional El Rey Jesús —una de las Iglesias multiculturales de más rápido crecimiento en los Estados Unidos—, la cual ha sido reconocida por su desarrollo de líderes de Reino y las visibles manifestaciones del poder sobrenatural de Dios.

El Apóstol Maldonado tiene una maestría en Teología Práctica de Oral Roberts University y un doctorado en Divinidades de Vision International University. Da cobertura espiritual a 338 pastores y apóstoles de iglesias locales e internacionales en 50 países, que forman parte de la creciente Red del Movimiento Sobrenatural. También es fundador de la Universidad del Ministerio Sobrenatural (USM), la cual proporciona, a hombres y mujeres, enseñanza, entrenamiento, impartición y activación, tanto en la Palabra como en la demostración del poder sobrenatural de Dios.

Entre sus libros más recientes podemos mencionar Cómo Caminar en el Poder Sobrenatural de Dios, La Gloria de Dios, El Reino de Poder, Transformación Sobrenatural, Liberación Sobrenatural, Bautismo en el Espíritu Santo y Encuentro Divino con el Espíritu Santo. Además, él predica el mensaje de Jesucristo y su poder de redención, a través de su programa internacional de televisión, "Lo Sobrenatural Ahora", que se transmite a través de las cadenas TBN, Daystar, Church Channel y otras setenta cadenas de TV, alcanzando e impactando potencialmente más de dos mil millones de personas alrededor del mundo.

El apóstol Maldonado vive en Miami, Florida, junto a Ana, su esposa y compañera en el ministerio, y sus dos hijos, Bryan y Ronald.

Si este libro es de bendición para usted, su familia o su ministerio, le agradecemos que nos envíe sus comentarios. Si tiene un testimonio de lo que el poder de Dios ha hecho en su vida, puede comunicarse con nosotros al Teléfono 305-382-3171 o escribirnos a:
http//elreyjesus.org/compartir

Ministerio Internacional El Rey Jesús
14100 SW 144 Ave. Miami, FL 33186
Tel: 305.382.3171 - Fax: 305.382.3178
ventas@elreyjesus.org